#홈스쿨링
#초등 영어 문법 기초력

똑똑한 하루 Grammar

#교과서의 단어와 문장으로 #똑똑하게 초등 문법 완성하기

똑똑한 하루 Grammar
시리즈 구성 (Level 1~4)

Level 1 A, B
3학년 영어

Level 2 A, B
4학년 영어

Level 3 A, B
5학년 영어

Level 4 A, B
6학년 영어

똑 똑 한
하루
Grammar

4주 완성 스케줄표

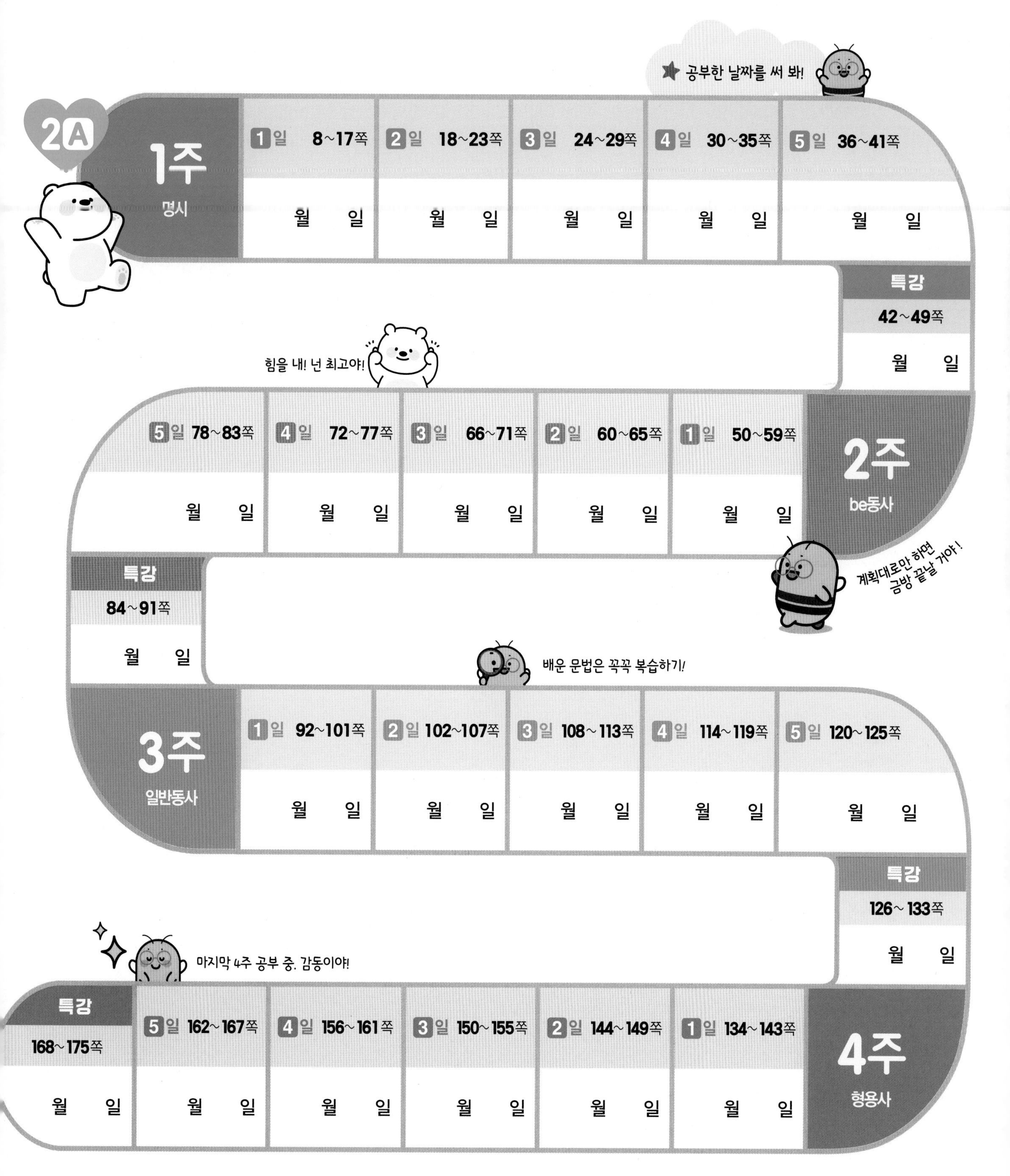
공부한 날짜를 써 봐!
2A
1주
명시
1일 8~17쪽
월 일
2일 18~23쪽
월 일
3일 24~29쪽
월 일
4일 30~35쪽
월 일
5일 36~41쪽
월 일
특강
42~49쪽
월 일
힘을 내! 넌 최고야!
2주
be동사
1일 50~59쪽
월 일
2일 60~65쪽
월 일
3일 66~71쪽
월 일
4일 72~77쪽
월 일
5일 78~83쪽
월 일
계획대로만 하면 금방 끝날 거야!
특강
84~91쪽
월 일
배운 문법은 꼭꼭 복습하기!
3주
일반동사
1일 92~101쪽
월 일
2일 102~107쪽
월 일
3일 108~113쪽
월 일
4일 114~119쪽
월 일
5일 120~125쪽
월 일
특강
126~133쪽
월 일
마지막 4주 공부 중. 감동이야!
4주
형용사
1일 134~143쪽
월 일
2일 144~149쪽
월 일
3일 150~155쪽
월 일
4일 156~161쪽
월 일
5일 162~167쪽
월 일
특강
168~175쪽
월 일

똑똑한 하루 Grammar

똑똑한 QR 사용법

편하고 똑똑하게!

QR 음원 편리하게 듣기

1. 표지의 QR 코드를 찍어 리스트형으로 모아 듣기
2. 교재의 QR 코드를 찍어 바로 듣기

Chunjae Makes Chunjae

편집개발	이명진, 김희윤, 한새미, 윤미영
디자인총괄	김희정
표지디자인	윤순미, 이주영
내지디자인	박희춘, 이혜진
제작	황성진, 조규영
발행일	2021년 11월 15일 초판 2021년 11월 15일 1쇄
발행인	(주)천재교육
주소	서울시 금천구 가산로9길 54
신고번호	제2001-000018호
고객센터	1577-0902

똑 똑 한

하루 Grammar

4학년 영어

2A

똑똑한 하루 Grammar ★ LEVEL 2 A ★

구성과 활용 방법

한 주 미리보기

미리보기 만화

미리보기 활동

문법 1~4일

step 1

재미있는 만화를 읽으며 오늘 공부할 문법을 만나요.

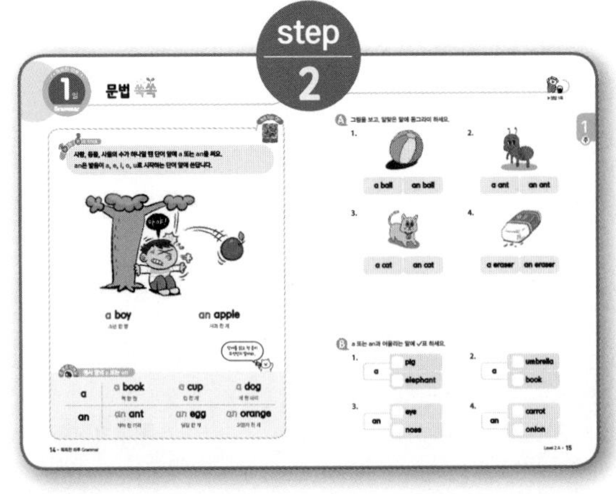

step 2

문법 설명과 예문을 읽으면서 들은 후 따라 써요.

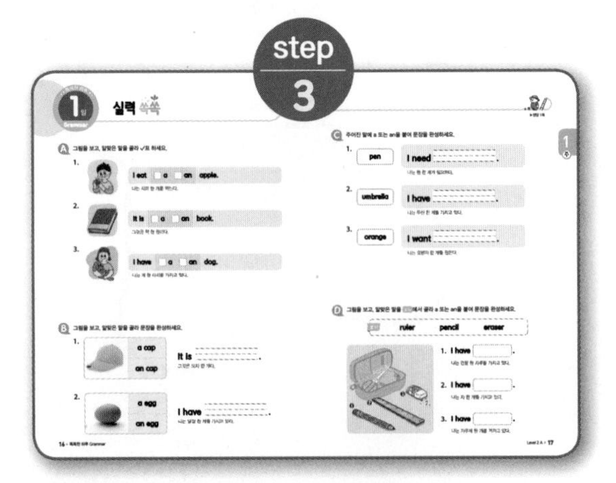

step 3

공부한 문법을 문제로 확인해요.

재미있는 만화를 읽으며
한 주 동안 공부한 문법을 복습해요.

사진 또는 그림으로 공부한 문법을 떠올리며
문제를 풀어요.

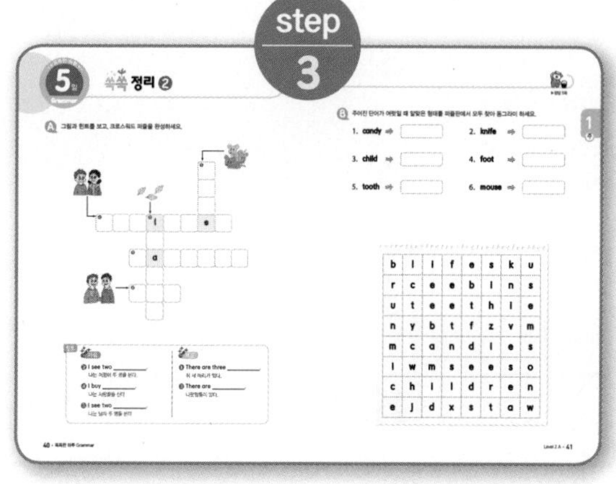

공부한 문법을 흥미로운 활동형 문제로 복습하며
확인해요.

Brain Game Zone

한 주 동안 배운 내용을 창의·사고력 게임으로
재미는 두 배, 사고력은 UP!

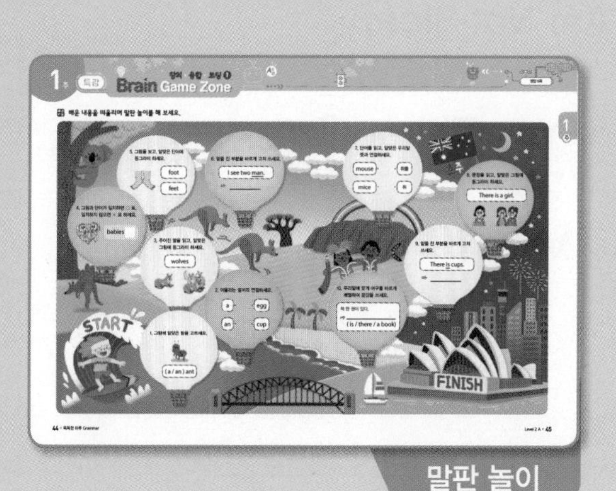

말판 놀이

창의·사고력 게임

똑똑한 하루 Grammar

공부할 내용

1주 명사

2주 be동사

3주
일반동사

4주
형용사

Grammar 용어 미리 보기

명사

명사는 사람, 동물, 사물과 장소 등의
이름을 나타내는 말이에요.

be동사

be동사는 주어의 직업, 기분 등을
나타내는 동사로 am, are, is를
묶어 부르는 말이에요.

일반동사

일반동사는 주어인 사람, 사물 등의
동작을 나타내는 말이에요.

형용사

형용사는 명사의 모양, 상태, 성질, 색깔 등의
특징을 나타내는 말이에요.

함께 공부할 친구들

건우 축구를 좋아하는 똑똑한 친구

새롬 마음이 따뜻하고 명랑한 친구

토비 감정 표현이 풍부한 도리의 단짝 친구

도리 호기심이 많은 다정한 친구

1주에는 무엇을 공부할까? ①

재미있는 이야기로 이번 주에 공부할 내용을 알아보세요.

명사

1일 ~ 4일 명사 공부　　5일 1주 복습

1주에는 무엇을 공부할까? ❷

A

◉ 이름을 나타내는 말에 동그라미 해 보세요.

시계

마시다

읽다

사과

걷다

답 시계, 사과

B

◉ 그림의 내용과 일치하도록 빈칸에 알맞은 말을 써 보세요.

- 사람이 ☐ 명 있다.
- 개가 ☐ 마리 있다.
- 책이 ☐ 권 있다.
- 바구니가 ☐ 개 있다.

 답 셋 (명), 한 (마리), 세 (권), 한 (개)

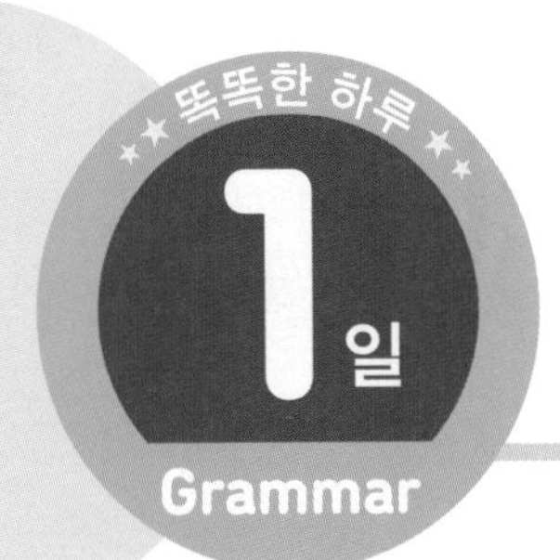

공 한 개 사과 한 개

A Ball vs. An Apple

재미있는 이야기로 오늘 배울 내용을 만나 보세요.

오늘은 무엇을 배울까요?

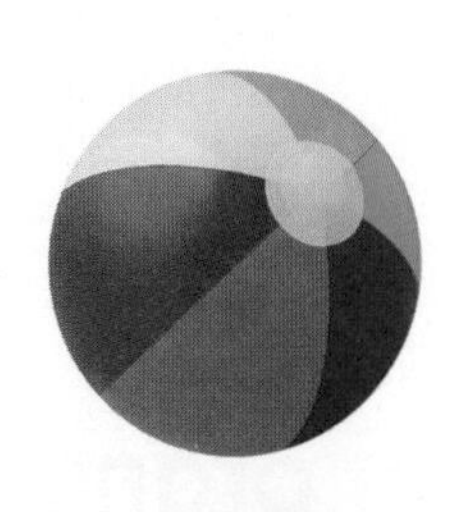

a ball
공 한 개

a bird
새 한 마리

an apple
사과 한 개

an elephant
코끼리 한 마리

문법 쏙쏙

눈과 귀로 익혀요

사람, 동물, 사물의 수가 하나일 땐 단어 앞에 **a** 또는 **an**을 써요.
an은 발음이 **a**, **e**, **i**, **o**, **u**로 시작하는 단어 앞에 쓴답니다.

a boy
소년 한 명

an apple
사과 한 개

단어를 읽고 첫 음이 무엇인지 알아봐.

손으로 익혀요

명사 앞의 a 또는 an

a	a book 책 한 권	a cup 컵 한 개	a dog 개 한 마리
an	an ant 개미 한 마리	an egg 달걀 한 개	an orange 오렌지 한 개

▶정답 1쪽

A 그림을 보고, 알맞은 말에 동그라미 하세요.

1.

a ball | an ball

2.

a ant | an ant

3.

a cat | an cat

4.

a eraser | an eraser

B a 또는 an과 어울리는 말에 ✓표 하세요.

1. a
   - ☐ pig
   - ☐ elephant

2. a
   - ☐ umbrella
   - ☐ book

3. an
   - ☐ eye
   - ☐ nose

4. an
   - ☐ carrot
   - ☐ onion

실력 쑥쑥

A 그림을 보고, 알맞은 말을 골라 ✓표 하세요.

1.

I eat ☐ a ☐ an apple.

나는 사과 한 개를 먹는다.

2.

It is ☐ a ☐ an book.

그것은 책 한 권이다.

3.

I have ☐ a ☐ an dog.

나는 개 한 마리를 가지고 있다.

B 그림을 보고, 알맞은 말을 골라 문장을 완성하세요.

1.

It is ____________.

그것은 모자 한 개다.

2.

I have ____________.

나는 달걀 한 개를 가지고 있다.

▶정답 1쪽

1주

C 주어진 말에 a 또는 an을 붙여 문장을 완성하세요.

1. pen
I need ______.
나는 펜 한 개가 필요하다.

2. umbrella
I have ______.
나는 우산 한 개를 가지고 있다.

3. orange
I want ______.
나는 오렌지 한 개를 원한다.

D 그림을 보고, 알맞은 말을 보기에서 골라 a 또는 an을 붙여 문장을 완성하세요.

보기 ruler pencil eraser

❶ ❷ ❸

1. I have ______.
나는 연필 한 자루를 가지고 있다.

2. I have ______.
나는 자 한 개를 가지고 있다.

3. I have ______.
나는 지우개 한 개를 가지고 있다.

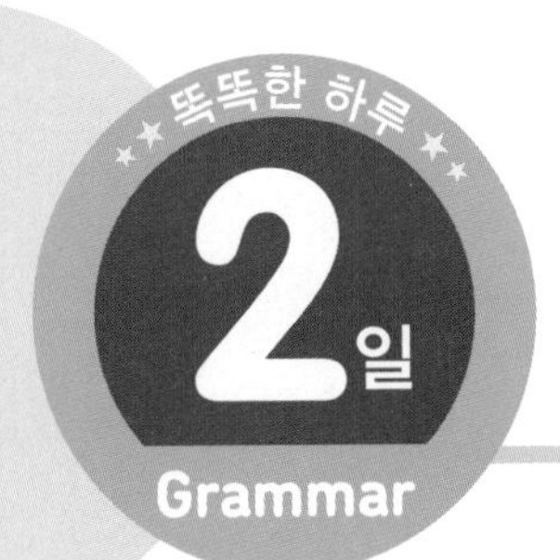

Babies, Leaves

아기들 나뭇잎들

재미있는 이야기로 오늘 배울 내용을 만나 보세요.

'자음+y' 또는 '-f(e)'로 끝나는 명사가 여러 개 있을 때 어떻게 변하는지 알아보자.

오늘은 무엇을 배울까요?

a candy	candies	a leaf	leaves
사탕 한 개	사탕들	나뭇잎 한 장	나뭇잎들

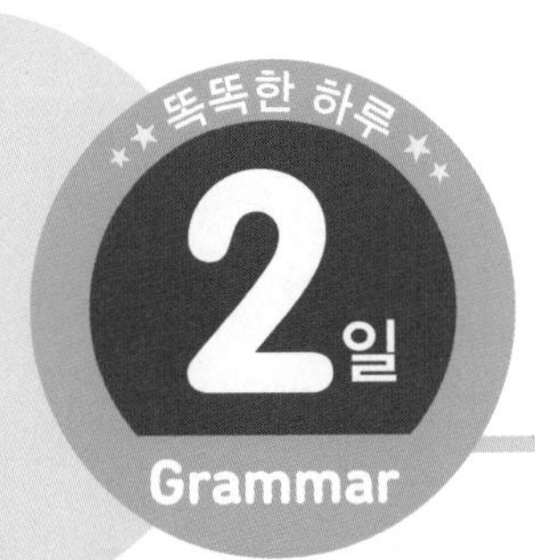

문법 쑥쑥

'자음+**y**'로 끝나는 명사가 여럿일 때는 **-y**를 **-i**로 고치고 **-es**를 붙여요.

-f 또는 **-fe**로 끝나는 명사가 여럿이면 **-f**, **-fe**를 **-v**로 고치고 **-es**를 붙여요.

a puppy

강아지 한 마리

a wolf

늑대 한 마리

puppies

강아지들

wolves

늑대들

단어의 끝 부분을 잘 살펴봐.

하나일 때와 여럿일 때

하나일 때	a puppy 강아지 한 마리	a leaf 나뭇잎 한 장	a knife 칼 한 개
여럿일 때	puppies 강아지들	leaves 나뭇잎들	knives 칼들

▶정답 2쪽

그림을 보고, 알맞은 말에 동그라미 하세요.

1.

wolfs | wolves

2.

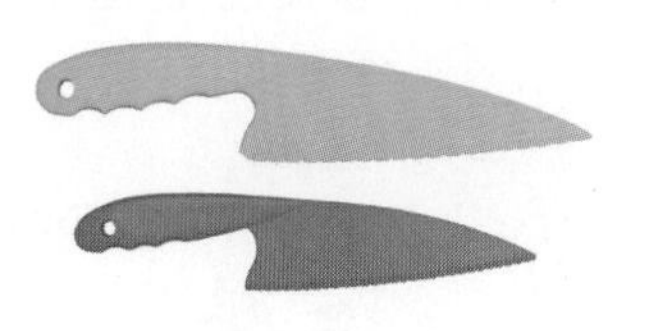

knives | knifes

3.

babies | babyes

4.

candys | candies

B 주어진 단어가 여럿일 때 알맞은 형태에 ✓표 하세요.

1. puppy
   - ☐ puppis
   - ☐ puppies

2. story
   - ☐ storys
   - ☐ stories

3. leaf
   - ☐ leafes
   - ☐ leaves

4. city
   - ☐ citys
   - ☐ cities

실력 쑥쑥

A 그림을 보고, 알맞은 말을 골라 ✓표 하세요.

1.

I know the ☐ ladys ☐ ladies .

나는 그 여자들을 안다.

2.

We see ☐ butterflies ☐ butterflyes .

우리는 나비들을 본다.

3.

I want two ☐ puppys ☐ puppies .

나는 강아지 두 마리를 원한다.

B 그림을 보고, 알맞은 말을 골라 문장을 완성하세요.

1.

cherrys

cherries

I buy ______________ .

나는 체리들을 산다.

2.

wolfes

wolves

I see two ______________ .

나는 늑대 두 마리를 본다.

▶정답 2쪽

1 주

C 주어진 말을 알맞은 형태로 바꿔 문장을 완성하세요.

1. story — They read three ______.
   그들은 이야기 세 편을 읽는다.

2. baby — I have two ______.
   나는 아기가 두 명 있다.

3. knife — I use two ______.
   나는 칼 두 개를 사용한다.

D 그림을 보고, 알맞은 말을 보기 에서 골라 문장을 완성하세요.

보기 candies leaves puppies

1. I want ______.
   나는 사탕들을 원한다.

2. They are ______.
   그것들은 나뭇잎들이다.

3. I have three ______.
   나는 강아지 세 마리를 가지고 있다.

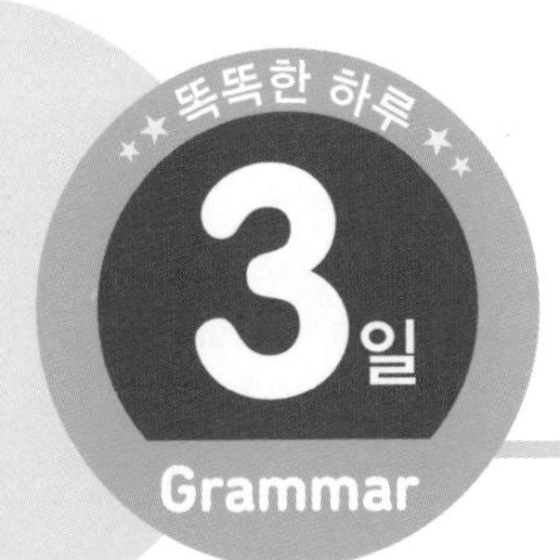

발 한 개 발들

Foot – Feet

재미있는 이야기로 오늘 배울 내용을 만나 보세요.

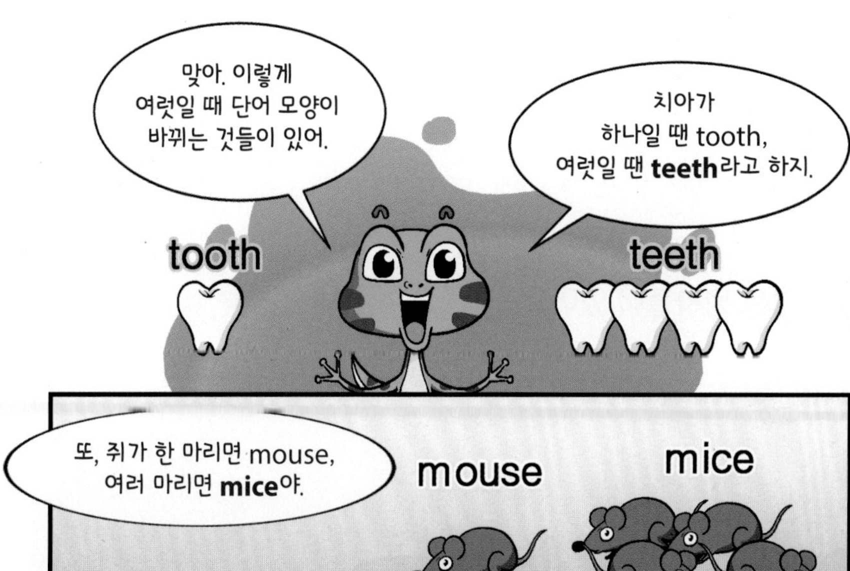

오늘은 무엇을 배울까요?

a woman
여자 한 명

women
여자들

a child
어린이 한 명

children
어린이들

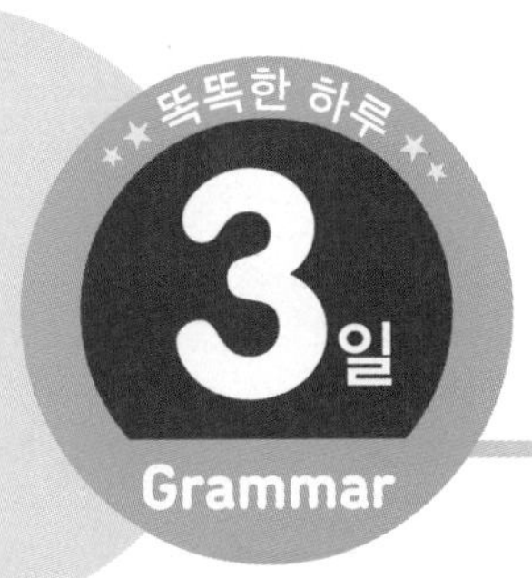

문법 쏙쏙

여럿일 때 모양이 불규칙하게 변하는 명사들이 있어요.

a tooth	teeth
치아 한 개	치아들

여럿일 때 모양이 다르게 변하는 단어는 잘 외워둬야 해.

여럿일 때 모양이 다르게 변하는 단어

하나일 때	a foot 발 한 개	a tooth 치아 한 개	a mouse 쥐 한 마리
여럿일 때	feet 발들	teeth 치아들	mice 쥐들

▶정답 3쪽

그림을 보고, 알맞은 말에 동그라미 하세요.

1.

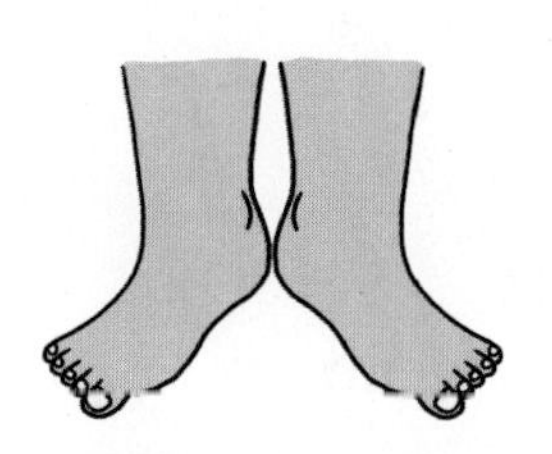

foots | feet

2.

men | mans

3.

mouses | mice

4.

childs | children

B 하나일 때와 여럿일 때 알맞은 형태끼리 연결하세요.

1. a mouse	•	• teeth
2. a foot	•	• mice
3. a woman	•	• feet
4. a tooth	•	• women

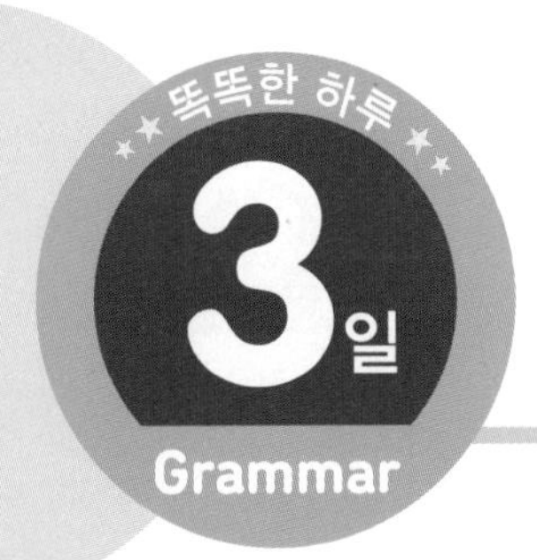

실력 쑥쑥

A 주어진 단어가 여럿일 때, 알맞은 형태에 ✓표 하세요.

1. tooth
   - ☐ tooths
   - ☐ teeth

2. woman
   - ☐ womans
   - ☐ women

3. man
   - ☐ mans
   - ☐ men

4. mouse
   - ☐ mouses
   - ☐ mice

B 그림을 보고, 알맞은 말을 골라 문장을 완성하세요.

1. foots / feet

   I have two ____________.

   나는 발이 두 개 있다.

2. mans / men

   I know the ____________.

   나는 그 남자들을 안다.

▶정답 3쪽

C 주어진 말을 알맞은 복수형으로 고쳐 문장을 완성하세요.

1. woman

They are ________.

그들은 여자들이다.

2. child

They are ________.

그들은 어린이들이다.

3. foot

They are my ________.

그것들은 나의 발들이다.

D 그림을 보고, 알맞은 말을 보기 에서 골라 문장을 완성하세요.

보기 children mice men

1. I see two ________.

나는 어린이 두 명을 본다.

2. I see two ________.

나는 남자 두 명을 본다.

3. I see three ________.

나는 쥐 세 마리를 본다.

테이블 한 개가 있다

There Is a Table

재미있는 이야기로 오늘 배울 내용을 만나 보세요.

폴짝
신난다! 캠핑카를 타볼 수 있다니!
어서 들어가 보자!
폴짝

소파 한 개가 있어!
There is a sofa!
There is?
으잉

'There is a/an + 사람, 동물, 사물 하나'는 '~이(가) 있다'라는 뜻이야.

아하, There is a table. 탁자 한 개가 있어.

척
There is a bed. 침대 한 개가 있어. 정말 캠핑카 안에는 없는 게 없구나.

통-
자동차 안에 침대가 있다니!
통-

사람, 동물, 사물이
여럿일 땐
'There are +
사람, 동물, 사물 여럿'
으로 쓰면 돼.

There are bags.
이렇게 말이야.
누구의 가방인지
말 안해도 알겠군.
쿡쿡~

폴짝
저기 봐!
There are stars!
별들이 있어!
폴짝
큰곰자리인가 봐!
지글~
지글~
냠-
냠-

There is와 There are의
의미를 알아보자.

오늘은 무엇을 배울까요?

There is a desk.
책상 한 개가 있다.

There are chairs.
의자들이 있다.

문법 쏙쏙

There is / There are는 '~이(가) 있다'라는 뜻을 나타내요.

There is a cake. 케이크 한 개가 있다.

There are four dishes. 접시 네 개가 있다.

There is / There are ~

There is **a cat.** ~가 있다 / 고양이 한 마리.	There is **a pen.** ~가 있다 / 펜 한 개.
There are **cups.** ~이 있다 / 컵들.	There are **books.** ~이 있다 / 책들.

▶정답 4쪽

주어진 말을 읽고, 어울리는 말과 연결하세요.

1. There is

2. There are

a girl.

소녀 한 명

girls.

소녀들

a cup.

컵 한 개

cups.

컵들

그림을 보고, 알맞은 문장에 ✓표 하세요.

1.

☐ There is a dog.

☐ There are a dog.

2.

☐ There is balloons.

☐ There are balloons.

실력 쑥쑥

A 그림을 보고, 알맞은 말에 ✓표 하세요.

1. There ☐ is ☐ are a car.
   자동차 한 대가 있다.

2. There ☐ is ☐ are a man.
   남자 한 명이 있다.

3. There ☐ is ☐ are three carrots.
   당근 세 개가 있다.

B 그림을 보고, 알맞은 말을 골라 문장을 완성하세요.

1. There is / There are ________ a lion.
   사자 한 마리가 있다.

2. There is / There are ________ flowers.
   꽃들이 있다.

▶정답 4쪽

C 그림을 보고, 주어진 말을 바르게 배열하여 문장을 쓰세요.

1.

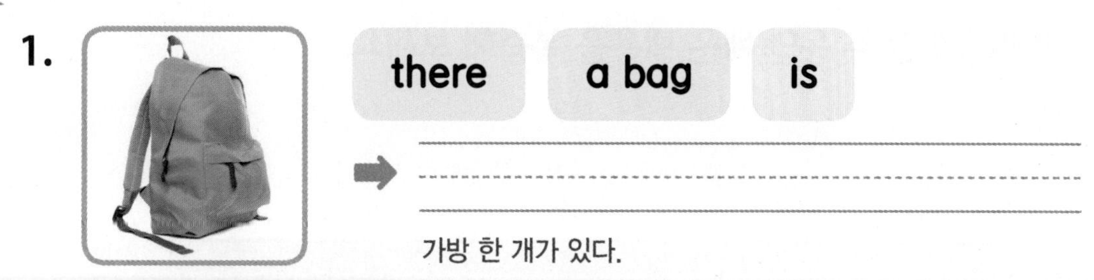

➡ ______________________

가방 한 개가 있다.

2.

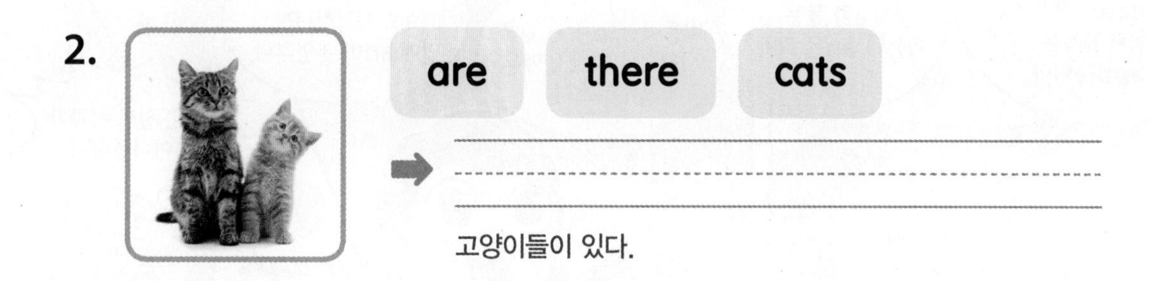

➡ ______________________

고양이들이 있다.

D 그림을 보고, 알맞은 말을 보기 에서 골라 is 또는 are를 이용하여 문장을 완성하세요.

보기	a bird	children	a tree

1. There [   ].
   새 한 마리가 있다.

2. There [   ].
   나무 한 그루가 있다.

3. There [   ].
   어린이들이 있다.

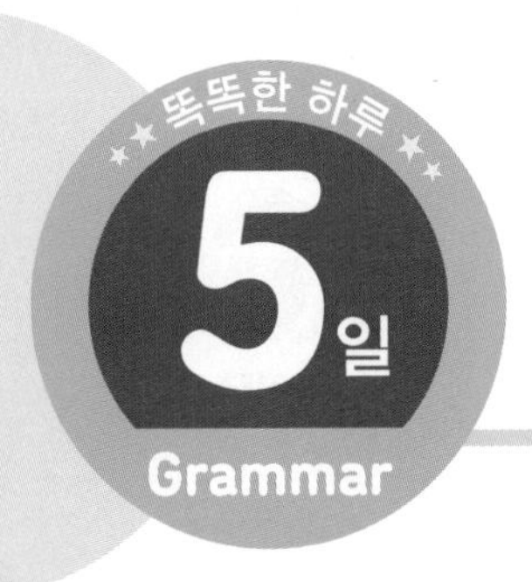

1주 복습

재미있는 이야기로 한 주 동안 배운 내용을 복습해 보세요.

1일

2일

3일

나는 foot으로
설 수 있어.
쭈욱
나 좀 봐!
feet을 잡았어!

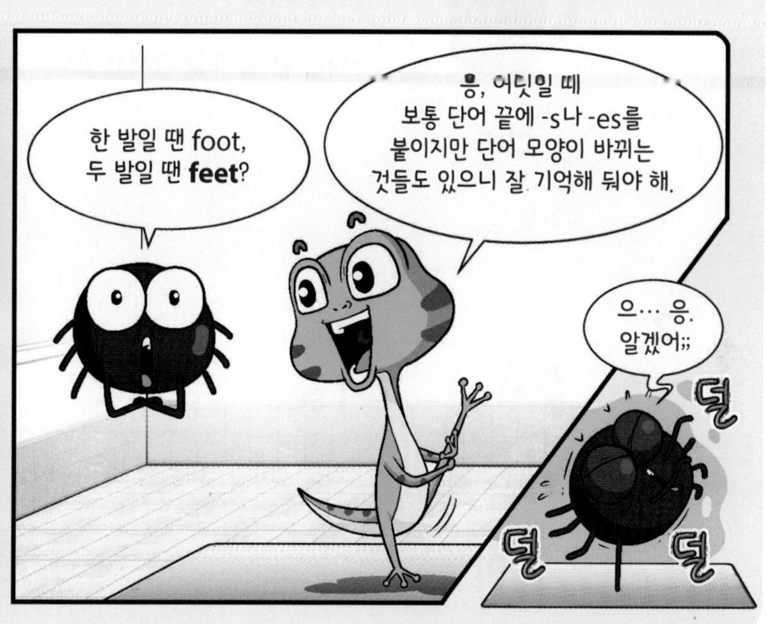
한 발일 땐 foot,
두 발일 땐 feet?
응, 어떤일 때
보통 단어 끝에 -s나 -es를
붙이지만 단어 모양이 바뀌는
것들도 있으니 잘 기억해 둬야 해.
으… 응.
알겠어;;
덜
덜
덜

4일

흠,
There is a
table.
사람, 동물, 사물이
하나일 때
There is를 써.
끄덕
끄덕
의자 네 개가 있네.
There are four chairs.
사람, 동물, 사물이 여럿일 땐
There are를 써.
이 집에는
네 식구가 살아!
엥. 그게 뭐가
대단한 추리라고.

쏙쏙 정리 ❶

A 그림을 보고, 주어진 말에 a 또는 an을 붙여 문장을 완성하세요.

1.

cup

I have [   ].

나는 컵 한 개를 가지고 있다.

2.

ant

I see [   ].

나는 개미 한 마리를 본다.

B 알맞은 말을 골라 우리말 뜻과 일치하도록 문장을 완성하세요.

1. ☐ wolfes ☐ wolves

They are ______________.

그것들은 늑대들이다.

2. ☐ candys ☐ candies

They are ______________.

그것들은 사탕들이다.

▶정답 5쪽

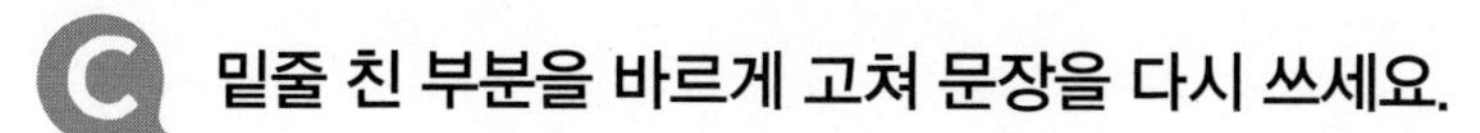

C 밑줄 친 부분을 바르게 고쳐 문장을 다시 쓰세요.

1\.

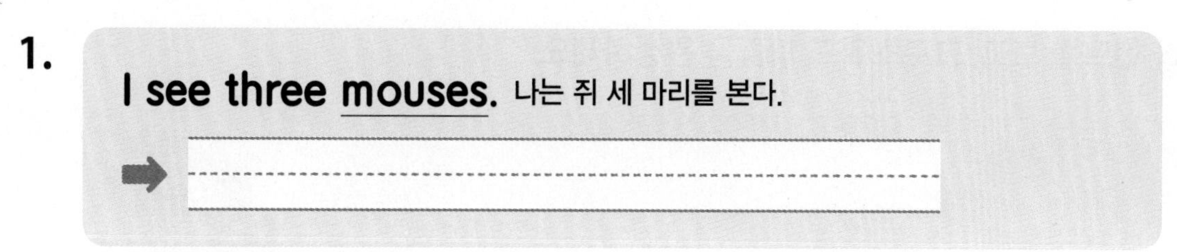

I see three <u>mouses</u>. 나는 쥐 세 마리를 본다.

➡ ______________________

2\. I have two <u>foots</u>. 나는 발이 두 개 있다.

➡ ______________________

3\. There are three <u>womans</u>. 여자 세 명이 있다.

➡ ______________________

D 그림을 보고, 주어진 말을 바르게 배열하여 문장을 쓰세요.

1\.

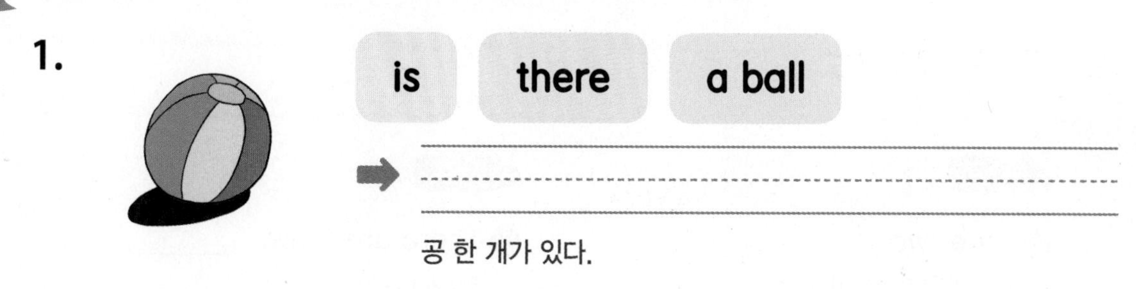

is / there / a ball

➡ ______________________

공 한 개가 있다.

2\.

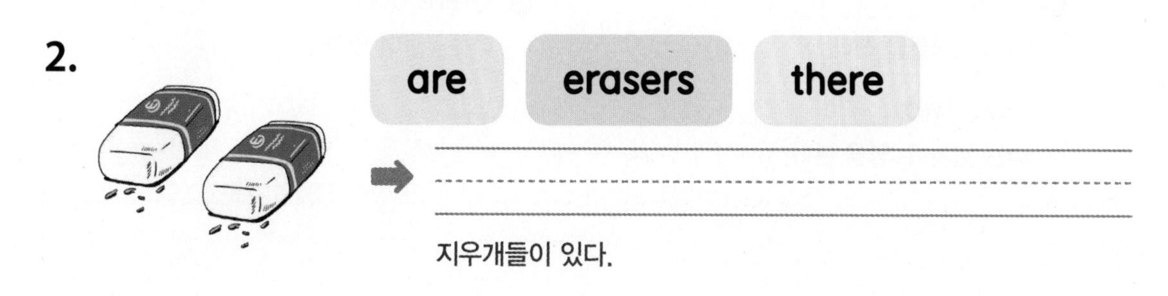

are / erasers / there

➡ ______________________

지우개들이 있다.

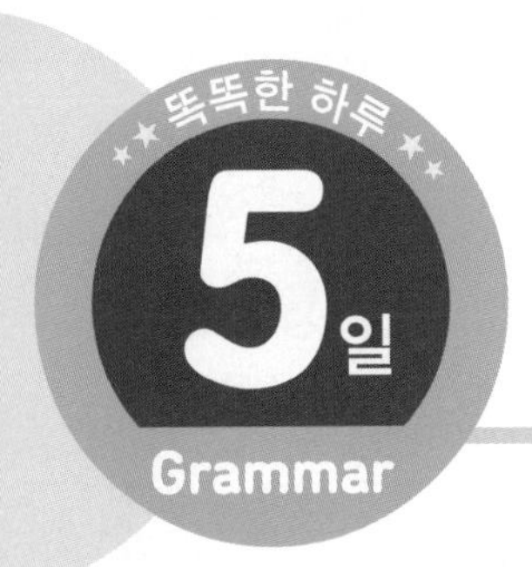

쏙쏙 정리 ❷

A 그림과 힌트를 보고, 크로스워드 퍼즐을 완성하세요.

힌트

가로

❷ I see two ___________.
나는 어린이 두 명을 본다.

❹ I buy ___________.
나는 사탕들을 산다.

❺ I see two ___________.
나는 남자 두 명을 본다.

세로

❶ There are three ___________.
쥐 세 마리가 있다.

❸ There are ___________.
나뭇잎들이 있다.

▶정답 5쪽

1 주

B 주어진 단어가 여럿일 때 알맞은 형태를 퍼즐판에서 모두 찾아 동그라미 하세요.

1. candy ➡ [ ]
2. knife ➡ [ ]
3. child ➡ [ ]
4. foot ➡ [ ]
5. tooth ➡ [ ]
6. mouse ➡ [ ]

b	l	i	f	e	s	k	u
r	c	e	e	b	i	n	s
u	t	e	e	t	h	i	e
n	y	b	t	f	z	v	m
m	c	a	n	d	i	e	s
i	w	m	s	e	e	s	o
c	h	i	l	d	r	e	n
e	j	d	x	s	t	a	w

1주 누구나 100점 TEST

1 그림을 보고, 알맞은 말에 동그라미 하세요.

(1)

It is (a / an) cat.

(2)

It is (a / an) eraser.

2 그림에 알맞은 말을 고르세요.

① a cup
② cups
③ cupes
④ cuppes

3 명사가 하나일 때와 여럿일 때의 형태가 바르게 짝 지어진 것을 고르세요.

① pen – penes
② tooth – teeth
③ foot – foots
④ dish – dishs

4 그림과 단어가 일치하지 않는 것을 고르세요.

① 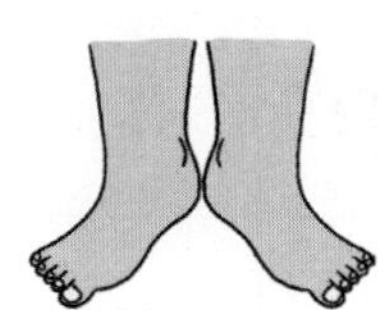
feet

② 
children

③ 
mouse

④ 
men

맞은 개수 /8개

▶정답 6쪽

5 밑줄 친 부분을 바르게 고친 것을 고르세요.

> There are <u>leaf</u>.
> 나뭇잎들이 있다.

① leafs
② leafes
③ leave
④ leaves

6 그림을 보고, 문장의 빈칸에 알맞은 단어를 고르세요.

> There are two ________.

① woman
② womans
③ women
④ womens

7 그림을 보고, 알맞은 문장의 기호를 쓰세요.

> ⓐ There is an ant.
> ⓑ There are puppies.

(1) (2)

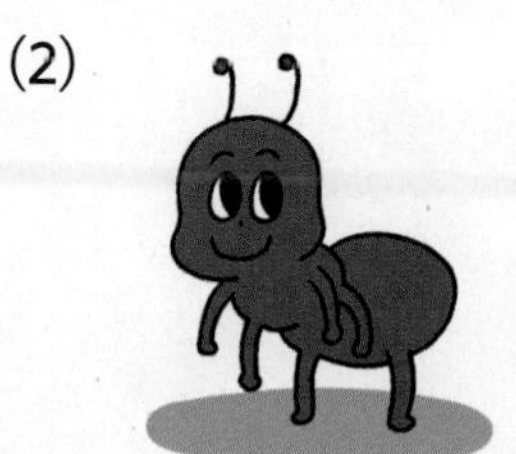

8 주어진 단어를 알맞은 형태로 바꿔 문장을 완성하세요.

There are ________. (wolf)
늑대들이 있다.

창의 · 융합 · 코딩 ❶

Brain Game Zone

배운 내용을 떠올리며 말판 놀이를 해 보세요.

START
1. 그림에 알맞은 말을 고르세요.
(a / an) ant
2. 어울리는 말끼리 연결하세요.
a
egg
an
cup
3. 주어진 말을 읽고, 알맞은 그림에 동그라미 하세요.
wolves
4. 그림과 단어가 일치하면 ○ 표, 일치하지 않으면 × 표 하세요.
babies
5. 그림을 보고, 알맞은 단어에 동그라미 하세요.
foot
feet
6. 밑줄 친 부분을 바르게 고쳐 쓰세요.
I see two man.
➡ ______

7. 단어를 읽고, 알맞은 우리말 뜻과 연결하세요.
mouse •
• 쥐들
mice •
• 쥐
8. 문장을 읽고, 알맞은 그림에 동그라미 하세요.
There is a girl.
9. 밑줄 친 부분을 바르게 고쳐 쓰세요.
There is cups.
➡
10. 우리말에 맞게 어구를 바르게 배열하여 문장을 쓰세요.
책 한 권이 있다.
➡
(is / there / a book)
호주
FINISH

A 다음 표에는 알파벳 대문자가 숨겨져 있어요. 그림과 어구가 일치하는 칸을 색칠하여 숨겨진 알파벳을 찾아 쓰세요.

a book	an car	an ball
an ant	an bird	an girl
a cat	an eraser	a carrot

숨겨진 알파벳 대문자: ______

B 도진이의 강아지가 공책을 밟아 메모의 일부가 지워졌어요. 단서 를 참고하여 지워진 글자를 찾아 단어를 쓰세요.

Memo

1. two pupp🐾🐾🐾
2. two m🐾🐾e
3. two f🐾🐾t
4. three leav🐾🐾

단서

1. two ______ 2. two ______

3. two ______ 4. three ______

펭귄이 이글루를 찾아 가고 있어요. 그림과 문장이 일치하는 칸을 연결해서 이글루까지 가는 길을 표시해 보세요.

Step A

다음 중 알맞은 알파벳을 골라 단어를 완성하세요.

1. ☐ ra ☐ er

2. k ☐ i ☐ es

3. ☐ ee ☐

Step B

Step A 의 단어를 이용하여 문장을 완성하세요.

1. I have an ________.

나는 지우개를 한 개 가지고 있다.

2. They are ________.

그것들은 칼들이다.

3. I have two ________.

나는 발이 두 개 있다.

Step C **힌트** 를 참고하여 거울에 비친 단어를 바르게 써서 문장을 쓰세요.

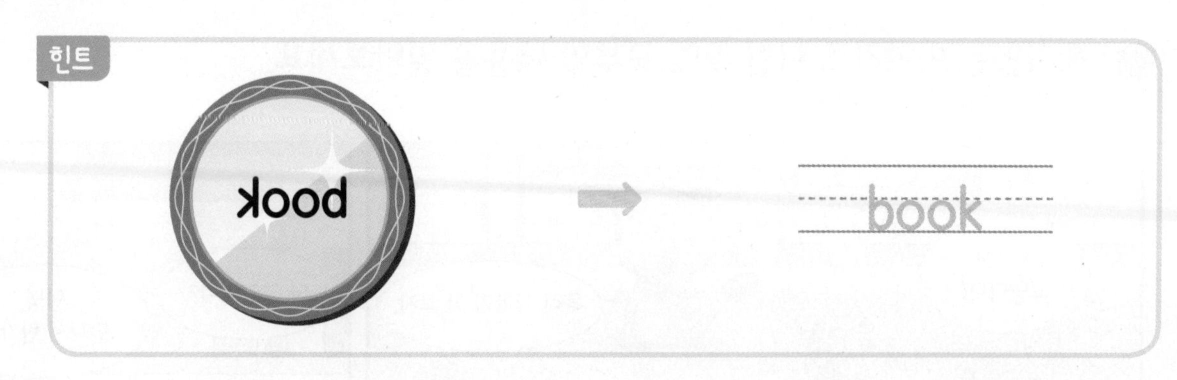

1.

I have ____________ .

나는 펜 한 개를 가지고 있다.

2.

I eat ____________ .

나는 오렌지 한 개를 먹는다.

3.

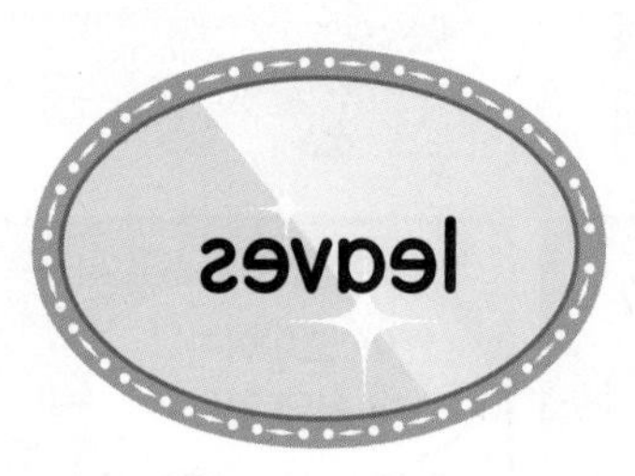

I see ____________ .

나는 나뭇잎들을 본다.

4.

There ____________ .

여자들이 있다.

2주에는 무엇을 공부할까? ①

재미있는 이야기로 이번 주에 공부할 내용을 알아보세요.

be동사

❶일 ~ ❹일 be동사 공부　　❺일 2주 복습

2주에는 무엇을 공부할까? ②

A

◉ 선을 따라가며 주어와 짝이 되는 be동사를 확인해 보세요.

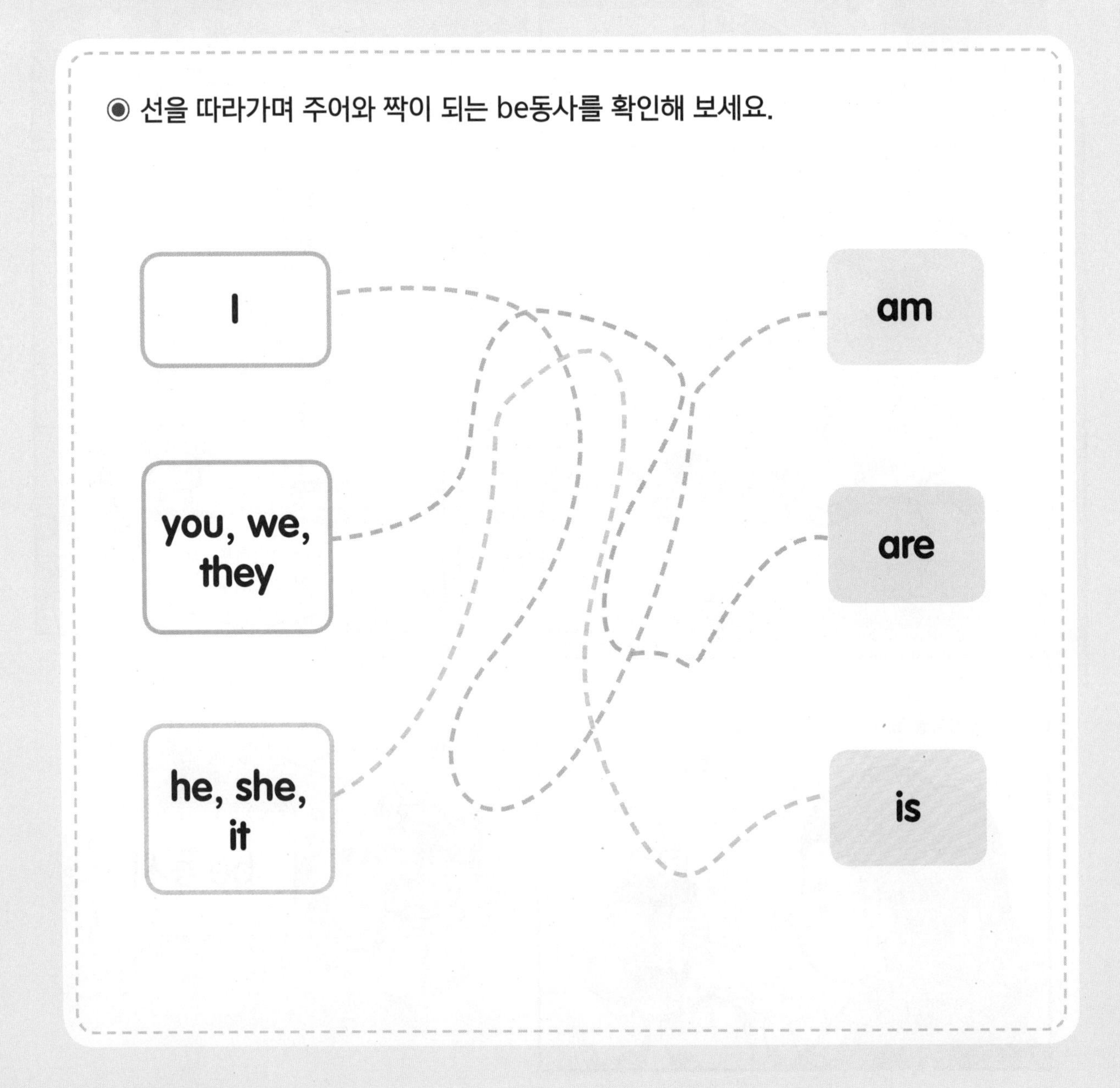

B

◉ 그림을 보고, 질문에 알맞은 답에 동그라미 하세요.

1.

그것은 토끼니?

○ ×

2.

그것들은 나비들이니?

○ ×

3.

그녀는 요리사니?

○ ×

4.

그것은 고양이니?

○ ×

답 1. ○ 2. ○ 3. × 4. ×

그는 나의 아빠이다

He Is My Dad

재미있는 이야기로 오늘 배울 내용을 만나 보세요.

주어	be동사
I	am
you, we, they	are
he, she, it	is

오늘은 무엇을 배울까요?

I am a painter.
나는 화가이다.

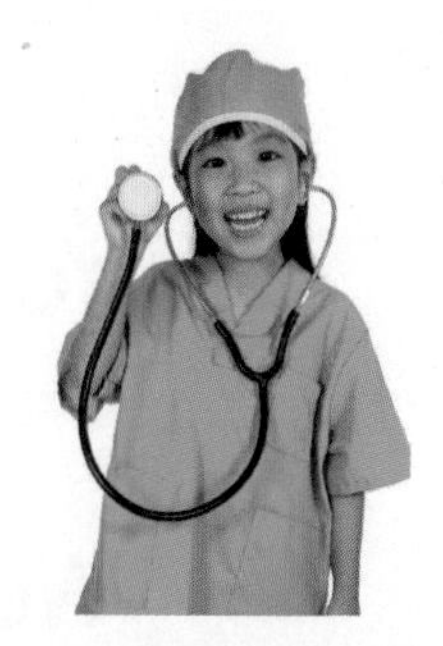

She is a doctor.
그녀는 의사이다.

We are cooks.
우리는 요리사들이다.

문법 쏙쏙

be동사는 '~(이)다'라는 뜻을 나타내고, 주어에 따라 **am, is, are** 중 하나로 써요.

I am a cook. 나는 요리사이다.

It is an apple. 그것은 사과이다.

They are apple pies. 그것들은 애플파이들이다.

주어와 짝이 되는 be동사

I am a student.
나는 / 이다 / 학생.

You are tall.
너는 / 이다 / 키가 큰.

She is kind.
그녀는 / 이다 / 친절한.

We are happy.
우리는 / 이다 / 행복한.

▶정답 8쪽

A 그림을 보고, 어울리는 be동사에 동그라미 하세요.

1\. I — am / is

2\. 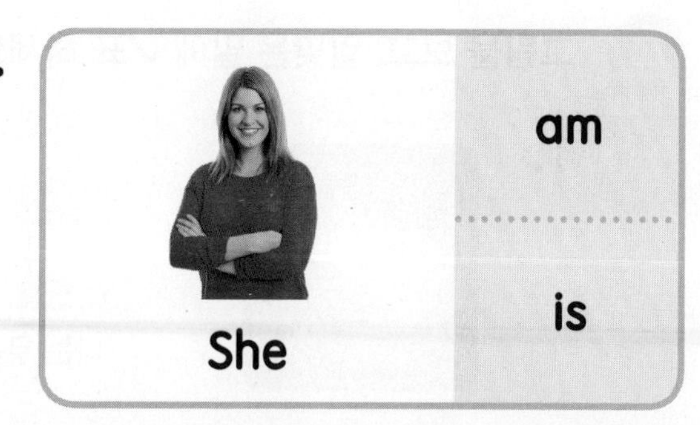

She — am / is

3\. 

It — is / are

4\. 

They — is / are

2
주

B 주어진 말을 읽고, 어울리는 be동사에 ✓표 하세요.

1\. You — ☐ am / ☐ are

2\. He — ☐ am / ☐ is

3\. It — ☐ is / ☐ are

4\. 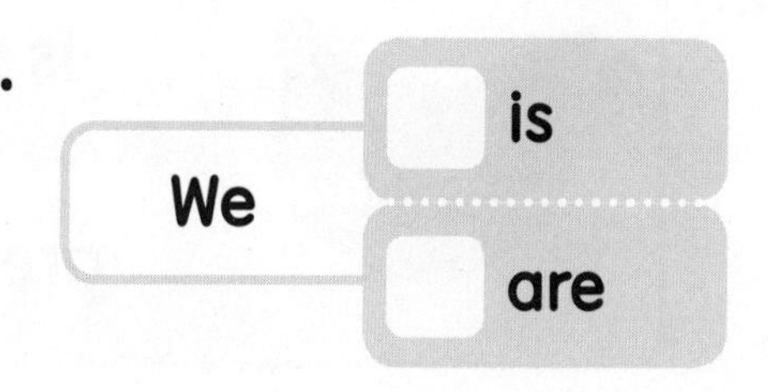

We — ☐ is / ☐ are

실력 쑥쑥

A 그림을 보고, 알맞은 말에 ✓표 하세요.

1. 

☐ I ☐ She am a dancer.

나는 무용수이다.

2. 

☐ He ☐ You is tall.

그는 키가 크다.

3. 

☐ It ☐ They are zebras.

그것들은 얼룩말들이다.

B 그림을 보고, 알맞은 말을 골라 문장을 완성하세요.

1. 

It ________ a tomato.

그것은 토마토이다.

2. 

They ________ bananas.

그것들은 바나나들이다.

▶정답 8쪽

2주

C 알맞은 be동사(am, is, are)를 써서 문장을 완성하세요.

1. She ______ hungry.

   그녀는 배고프다.

2. It ______ my book.

   그것은 나의 책이다.

3. We ______ friends.

   우리는 친구이다.

D 그림을 보고, 알맞은 말을 보기 에서 골라 문장을 완성하세요.

보기 am are is

1. I ______ a farmer.

   나는 농부이다.

2. It ______ a rabbit.

   그것은 토끼이다.

3. They ______ carrots.

   그것들은 당근들이다.

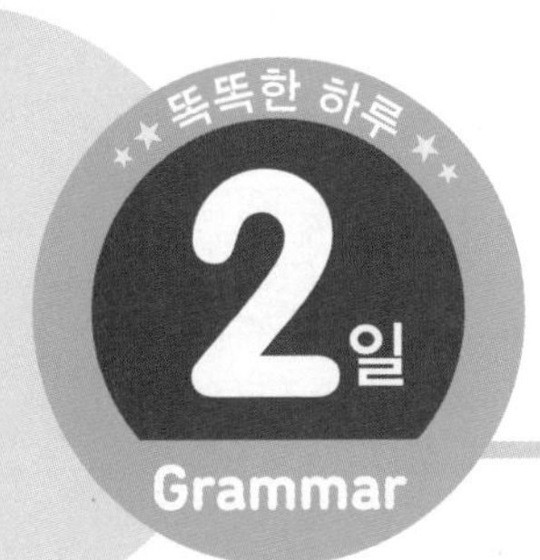

나는 졸리지 않다

I Am Not Sleepy

재미있는 이야기로 오늘 배울 영문법을 만나 보세요.

be동사와 not은
줄여 쓸 수도 있어.
다만 am과 not은
줄여 쓸 수 없지!

고양이도 있어!

We are not cats.
우리 호랑이거든?

be동사의 부정문을
어떻게 나타내는지 알아보자.

오늘은 무엇을 배울까요?

I am not a boy.
나는 소년이 아니다.

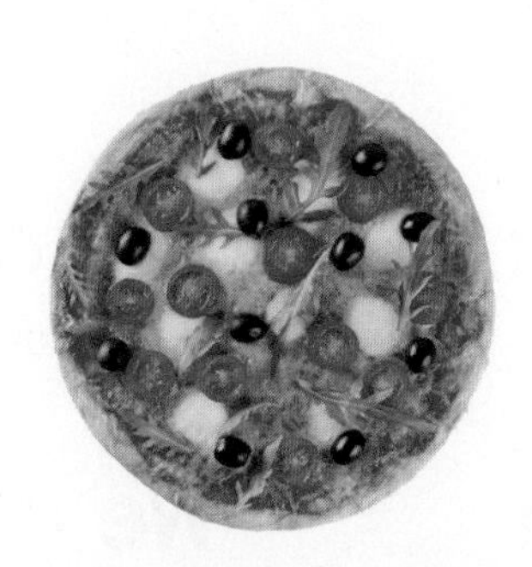

It is not a cake.
그것은 케이크가 아니다.

They are not lions.
그것들은 사자들이 아니다.

문법 쏙쏙

눈과 귀로 익혀요

be동사의 부정문은 '아니다, 않다'라는 뜻을 나타내고 **be**동사 뒤에 **not**을 붙여 써요.

I am not happy. 나는 행복하지 않다.

It is not clean. 그것은 깨끗하지 않다.

They are not clean. 그것들은 깨끗하지 않다.

is not은 isn't로, are not은 aren't로 줄여 쓸 수 있어.

be동사의 부정문

I am not a cook. 나는 / 아니다 / 요리사가.	**You are not old.** 너는 / 않다 / 나이가 많지.
It is not my pen. 그것은 / 아니다 / 나의 펜이.	**We are not sad.** 우리는 / 않다 / 슬프지.

▶정답 9쪽

A 다음 문장을 부정문으로 만들 때 not이 들어갈 위치를 고르세요.

1. I ① am ② a nurse.

나는 간호사가 아니다.

2. It ① is ② his bag.

그것은 그의 가방이 아니다.

3. They ① are ② birds.

그것들은 새들이 아니다.

B 그림을 보고, 알맞은 말에 동그라미 하세요.

1. They (isn't / aren't) bears.

그것들은 곰들이 아니다.

2. He (isn't / aren't) a doctor.

그는 의사가 아니다.

실력 쑥쑥

A 그림을 보고, 알맞은 말에 ✓표 하세요.

1. I ☐ not am ☐ am not strong.
나는 힘이 세지 않다.

2. It ☐ not ☐ is not my dog.
그것은 나의 개가 아니다.

3. We ☐ is not ☐ are not pilots.
우리는 비행기 조종사들이 아니다.

B 그림을 보고, 알맞은 말을 골라 문장을 완성하세요.

1.
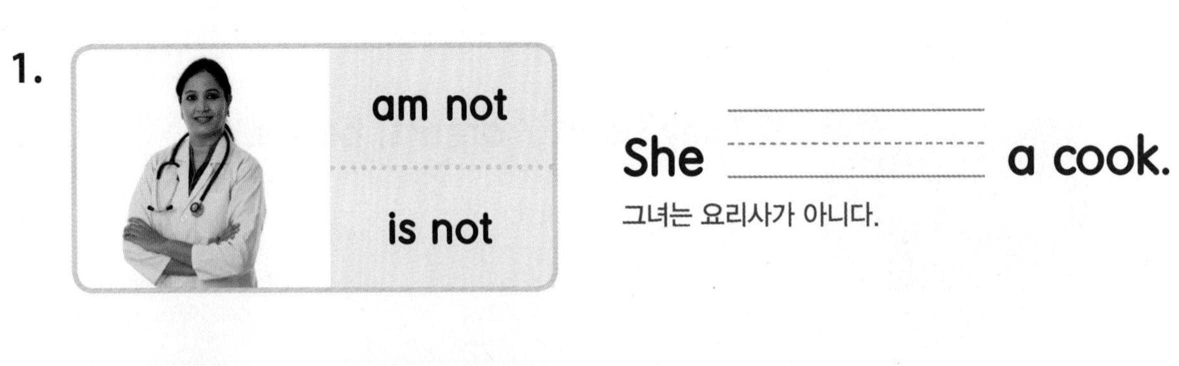

She ______ a cook.
그녀는 요리사가 아니다.

2.
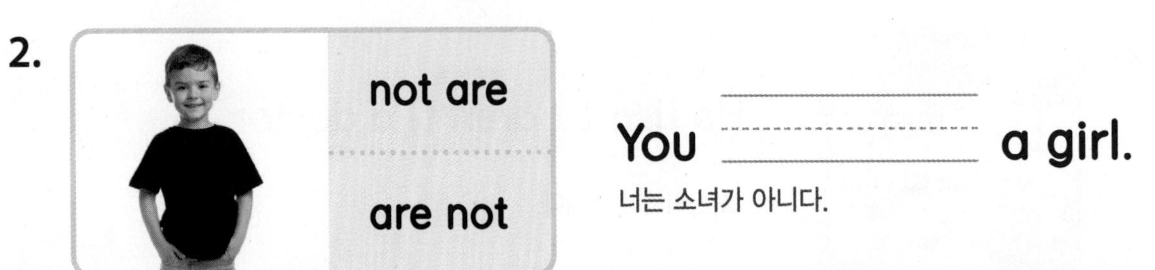

You ______ a girl.
너는 소녀가 아니다.

▶정답 9쪽

C 주어진 문장을 not을 이용하여 부정문으로 바꿔 쓰세요.

1. She is young.
   그녀는 어리다.
   ____
   그녀는 어리지 않다.

2. They are my uncles.
   그들은 나의 삼촌들이다.
   ____
   그들은 나의 삼촌들이 아니다.

3. It is a ball.
   그것은 공이다.
   ____
   그것은 공이 아니다.

D 그림을 보고, 알맞은 말을 보기 에서 골라 not을 이용하여 문장을 완성하세요.

보기	am	are	is

1. It ______ clean.
   그것은 깨끗하지 않다.

2. They ______ fresh.
   그것들은 신선하지 않다.

3. I ______ hungry.
   나는 배가 고프지 않다.

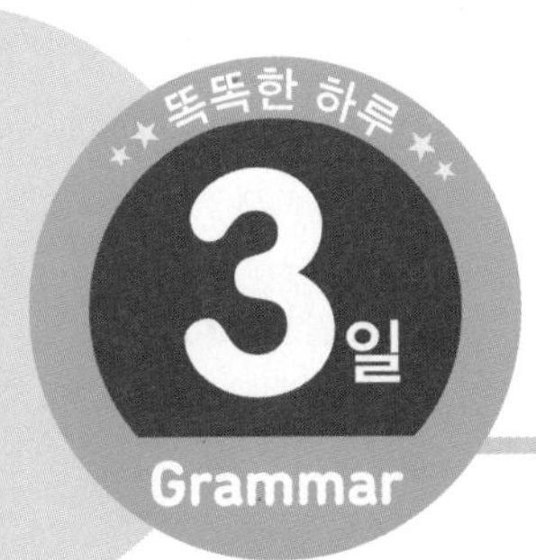

너는 목마르니?

Are You Thirsty?

재미있는 이야기로 오늘 배울 영문법을 만나 보세요.

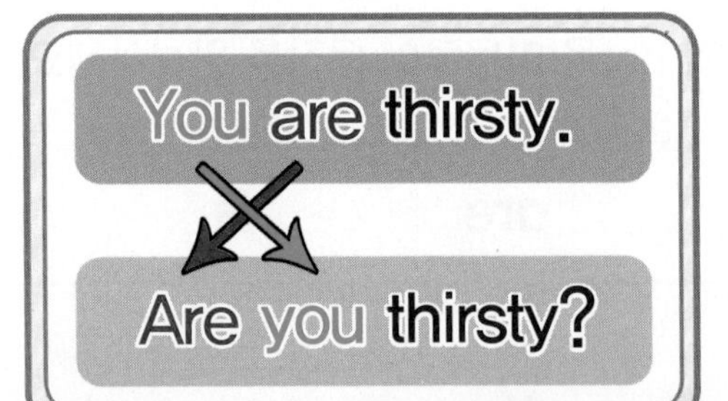

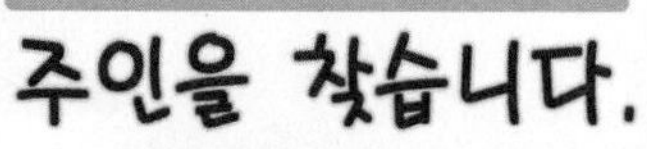

발견 장소: 공원 쉼터
발견 날짜: 9월 15일 토요일

같은 날 오후

게시판
주인을 찾습니다.

Is it your cat?
네, 제 고양이가 맞아요!
끄덕-
끄덕-

안녕! Bella!

be동사의 의문문을 어떻게 나타내는지 알아보자.

오늘은 무엇을 배울까요?

Are you cold?
너는 춥니?

Is it a tiger?
그것은 호랑이니?

문법 쏙쏙

be동사 의문문은 '~이니?' 또는 '~하니?'라는 뜻을 나타내요.

Are you a painter? 당신은 화가입니까?

Is it an elephant? 그것은 코끼리입니까?

be동사의 의문문은 be동사와 주어의 자리를 바꿔서 만들어.

be동사의 의문문

You are kind.

Are you **kind?** 너는 친절하니?

He is a pilot.

Is he **a pilot?** 그는 비행기 조종사니?

▶정답 10쪽

A 그림을 보고, 알맞은 be동사에 ✓표 하세요.

1.

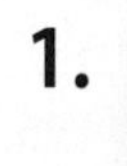

☐ Is ☐ Am she smart?

그녀는 똑똑하니?

2.

☐ Is ☐ Are you angry?

너는 화가 났니?

3.

☐ Is ☐ Am it your dog?

그것은 너의 개니?

B 주어진 be동사에 이어질 말로 알맞은 것에 ✓표 하세요.

1. Is
   - ☐ it your umbrella?
   - ☐ you a baseball player?

2. Are
   - ☐ they police officers?
   - ☐ he your English teacher?

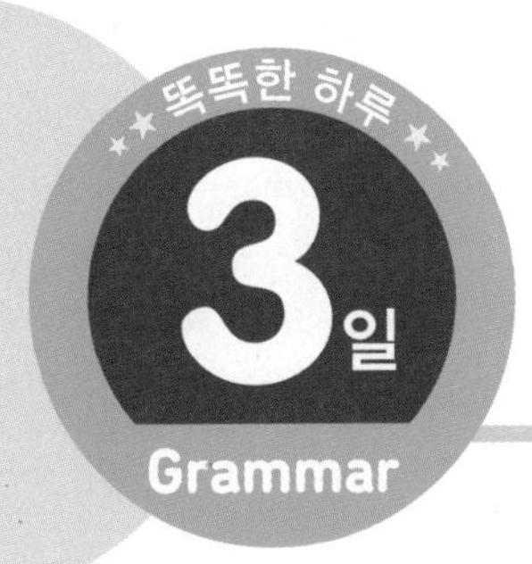

실력 쑥쑥

A 그림을 보고, 알맞은 말에 동그라미 하세요.

1. 

(Is she / Am she) a pilot?

그녀는 비행기 조종사니?

2. 

(Are it / Are they) ducks?

그것들은 오리들이니?

3. 

(Is it / Are they) your bike?

그것은 너의 자전거니?

B 알맞은 be동사를 골라 문장을 완성하세요.

1. Is / Are

_______ he a writer?

그는 작가니?

2. Is / Are

_______ they your friends?

그들은 너의 친구들이니?

▶정답 10쪽

C 주어진 말을 바르게 배열하여 문장을 완성하세요.

1. you / are → ________ thirsty?
   너는 목마르니?

2. he / is → ________ a nurse?
   그는 간호사니?

3. it / is → ________ sour?
   그것은 신 맛이 나니?

D 그림을 보고, 알맞은 be동사를 보기 에서 골라 문장을 완성하세요.

보기 Am Are Is

1. ________ she a dancer?
   그녀는 무용수니?

2. ________ they puppies?
   그것들은 강아지들이니?

3. ________ I late?
   내가 늦었니?

네가 미나니? 응, 맞아

Are You Mina? – Yes, I Am

재미있는 이야기로 오늘 배울 영문법을 만나 보세요.

be동사의 의문문에
어떻게 답하는지 알아보자.

오늘은 무엇을 배울까요?

Is it a tiger? 그것은 호랑이니?
- Yes, it is. 응, 그래.

Are they pears? 그것들은 배들이니?
- No, they aren't. 아니, 그렇지 않아.

문법 쏙쏙

눈과 귀로 익혀요

be동사의 의문문에 긍정의 대답은 **'Yes, 주어+be동사.,'** 부정의 대답은 **'No, 주어+be동사+not.'**으로 해요.

Are you Jina?
너는 지나니?

Yes, I am.
응, 그래.

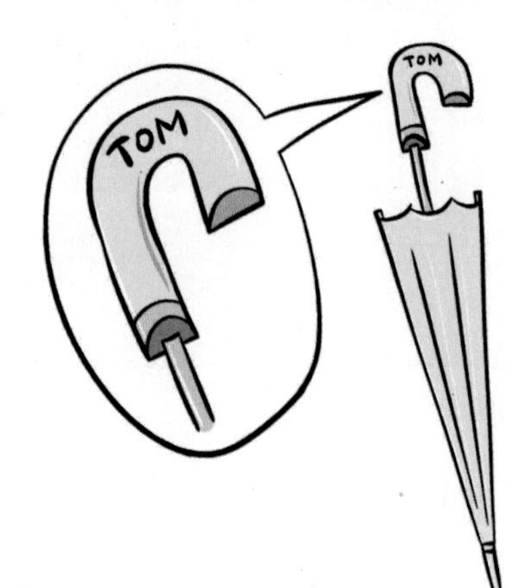

Is it your umbrella?
그것은 너의 우산이니?

No, it isn't.
아니, 그렇지 않아.

Are you~?로 묻는 말에는 Yes, I am. 또는 No, I'm not. 으로 답해.

be동사의 의문문에 대한 대답

Is he tall? 그는 키가 크니?	**Yes, he is. / No, he isn't.** 응, 그래. / 아니, 그렇지 않아.
Are they pigs? 그것들은 돼지들이니?	**Yes, they are. / No, they aren't.** 응, 그래. / 아니, 그렇지 않아.

▶정답 11쪽

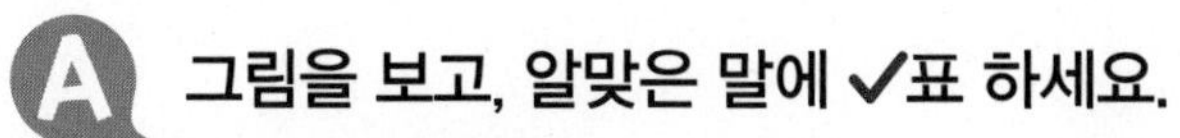

A 그림을 보고, 알맞은 말에 ✓표 하세요.

1.

A Are you a farmer?

당신은 농부입니까?

B ☐ Yes ☐ No , I am.

네, 그렇습니다.

2.

A Is it an elephant?

그것은 코끼리니?

B ☐ Yes ☐ No , it isn't.

아니, 그렇지 않아.

B 질문을 읽고, 알맞은 답에 ✓표 하세요.

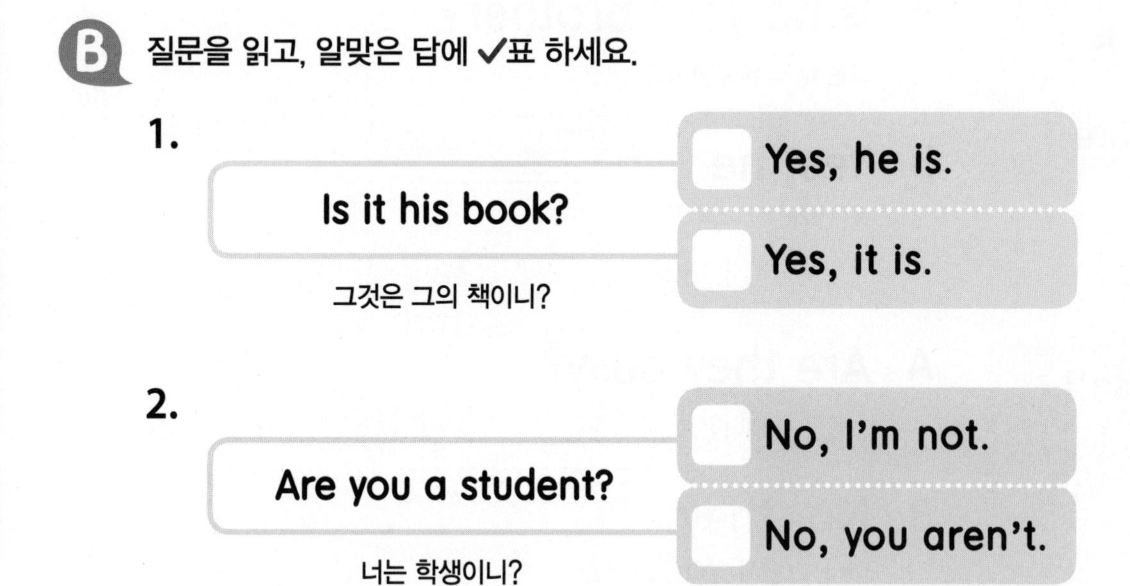

1.

Is it his book?

그것은 그의 책이니?

☐ Yes, he is.

☐ Yes, it is.

2.

Are you a student?

너는 학생이니?

☐ No, I'm not.

☐ No, you aren't.

실력 쑥쑥

A 그림을 보고, 알맞은 말에 동그라미 하세요.

1. 

A Am / Is she a cook?

그녀는 요리사니?

B No, she / it isn't.

아니, 그렇지 않아.

2. 

A Is / Are they your friends?

그들은 너의 친구들이니?

B Yes, we / they are.

응, 그래.

B 알맞은 말을 골라 대화를 완성하세요.

1. is / are

A Is he your brother?

그는 너의 남동생이니?

B Yes, he ______.

응, 그래.

2. isn't / aren't

A Are they busy?

그들은 바쁘니?

B No, they ______.

아니, 그렇지 않아.

▶정답 11쪽

C 그림을 보고, 빈칸에 알맞은 말을 써서 대화를 완성하세요.

1.

A **Is he a singer?**

그는 가수니?

B ________, he ________.

응, 맞아.

2.

A **Are they desks?**

그것들은 책상들이니?

B ________, they ________.

아니, 그렇지 않아.

D 그림을 보고, 알맞은 말을 보기 에서 골라 대화를 완성하세요.

보기	Is	is	Are	aren't

1. A [   ] she a zoo keeper?

그녀는 사육사니?

B Yes, she [   ].

응, 그래.

2. A [   ] they pandas?

그것들은 판다들이니?

B No, they [   ].

아니, 그렇지 않아.

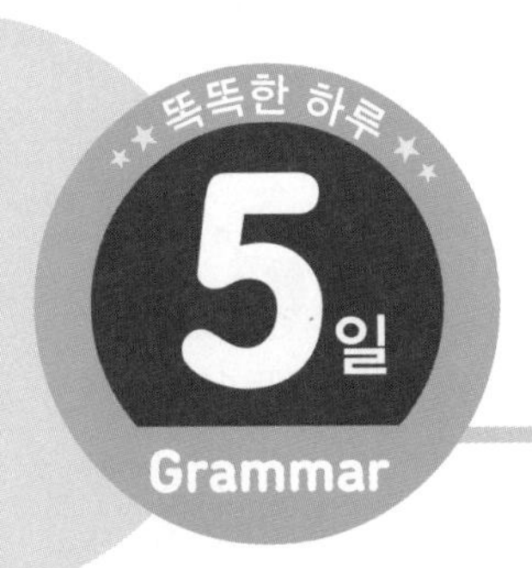

2주 복습

재미있는 이야기로 한 주 동안 배운 내용을 복습해 보세요.

1일

am, are, is는 모두 be동사로 '~(이)다'라는 의미를 나타내지. 주어에 어울리는 be동사 짝을 잘 맞춰서 써야 해.
주어
be동사
I
am
you, we, they
are
he, she, it
is
I am Sora.
(나는 소라이다.)
It is a flower.
(그것은 꽃이다.)
We are friends.
(우리는 친구이다.)
He is a singer.
(그는 가수이다.)

2일

풍선을 그리는구나.
풍선이 아닌데….
'~이 아니다'라는 말은 be동사 뒤에 not을 써서 나타내.
It is not a balloon.
그건 풍선이 아니야. 아이스크림이라고!
〈be동사+not〉의 줄임말
is not → isn't
are not → aren't
am not은 줄여 쓰지 않아요.

2 주

3일

be동사가 있는 의문문을 만들어 볼까?
be동사가 있는 문장에서 be동사와 주어의 자리를 바꾸고 마침표를 물음표로 바꿔 쓰면 의문문이 돼.
You are hungry.
Are you hungry?
(너는 배고프니?)
She is sleepy.
Is she sleepy?
(그녀는 졸리니?)

4일

be동사의 의문문에 답하는 방법도 어렵지 않아.
맞으면 <Yes, 주어+be동사.>, 아니면 <No, 주어+be동사+not.>으로 답하면 돼.
Are you happy?
(너는 행복하니?)
Yes, I am.
(응, 그래.)
No, I am not.
(아니, 그렇지 않아.)
Is it your pen?
(그것은 너의 펜이니?)
Yes, it is.
(응, 그래.)
No, it is not.
(아니, 그렇지 않아.)

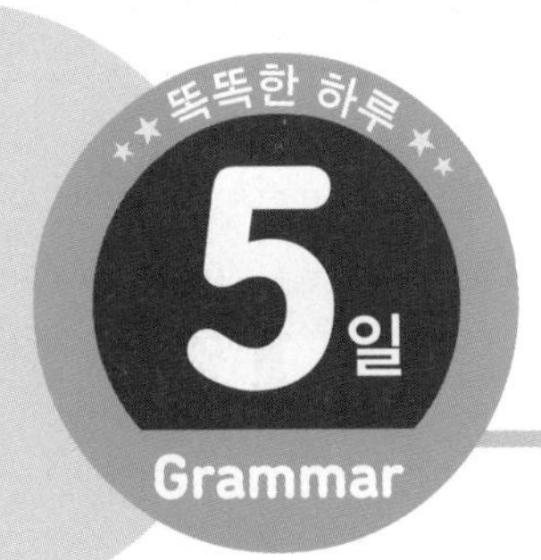

쏙쏙 정리 1

A 그림을 보고, 알맞은 be동사(am, is, are)를 써서 문장을 완성하세요.

1. I [ ] a student.
   나는 학생이다.

2. They [ ] apples.
   그것들은 사과들이다.

B 알맞은 말을 골라 우리말 뜻과 일치하도록 문장을 완성하세요.

1. ☐ am not ☐ is not
   She ______ a teacher.
   그녀는 선생님이 아니다.

2. ☐ is not ☐ are not
   They ______ cooks.
   그들은 요리사들이 아니다.

▶정답 12쪽

C 다음 문장을 의문문으로 바꿔 다시 쓰세요.

1. **It is a chair.** 그것은 의자이다.

➡ ______________________

그것은 의자이니?

2. **They are students.** 그들은 학생들이다.

➡ ______________________

그들은 학생들이니?

D 그림을 보고, 빈칸에 알맞은 말을 써서 대화를 완성하세요.

1.

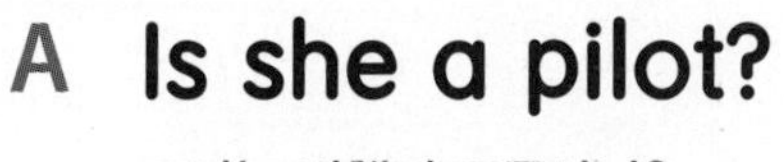

A **Is she a pilot?**

그녀는 비행기 조종사니?

B **Yes, she** __________.

응, 그래.

2.

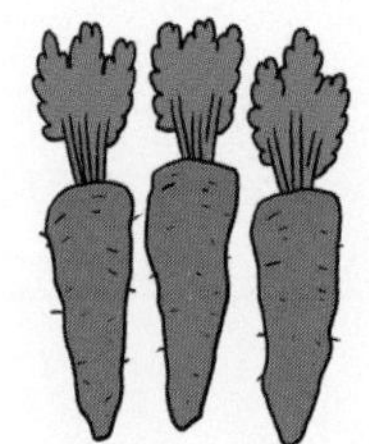

A **Are they apples?**

그것들은 사과들이니?

B **No, they** __________.

아니, 그렇지 않아.

쏙쏙 정리 ❷

A 그림과 힌트를 보고, 크로스워드 퍼즐을 완성하세요.

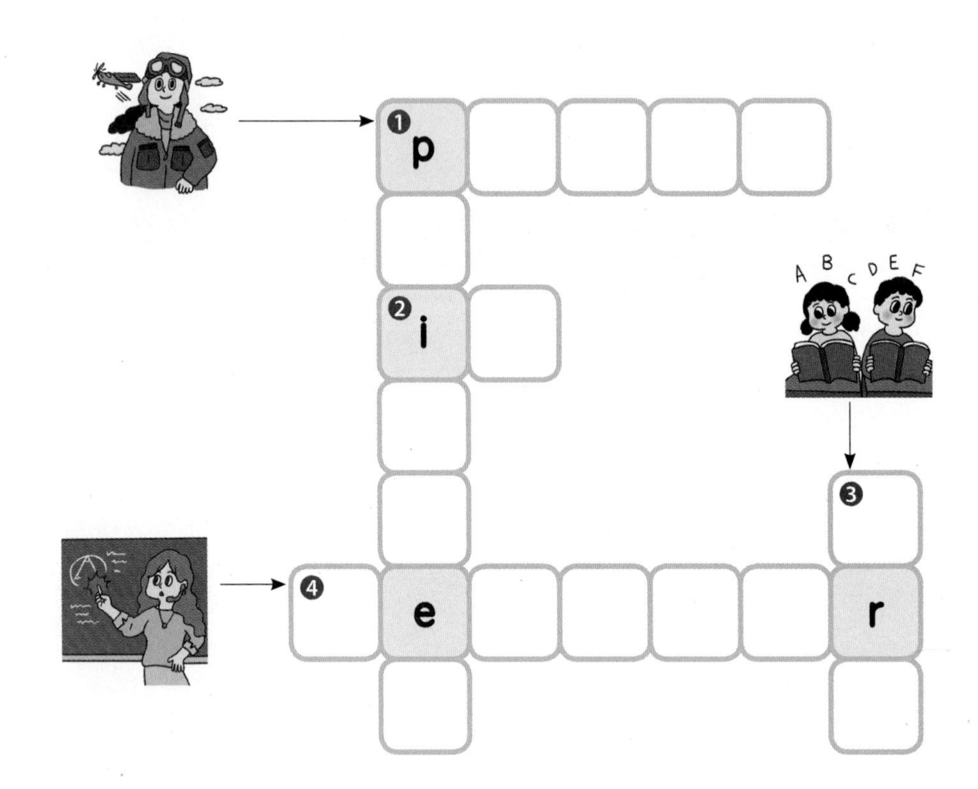

힌트

가로

❶ She is a ___________.
그녀는 비행기 조종사이다.

❷ He _________ a cook.
그는 요리사이다.

❹ She is a ___________.
그녀는 선생님이다.

세로

❶ I am a ___________.
나는 화가이다.

❸ They _________ students.
그들은 학생들이다.

▶정답 12쪽

2 주

B 빈칸에 알맞은 be동사를 찾아 문장을 완성하고 '출발'에서부터 '도착'까지의 길을 표시하세요.

1. I [ ] a pilot.
나는 비행기 조종사이다.

2. He [ ] my brother.
그는 나의 남동생이다.

3. They [ ] tigers.
그것들은 호랑이들이다.

4. He [ ] not tall.
그는 키가 크지 않다.

5. [ ] he a cook?
그는 요리사니?

6. [ ] it your book?
그것은 너의 책이니?

7. [ ] they students?
그들은 학생들이니?

8. [ ] you happy?
너는 행복하니?

출발	Is	is	Is	are	am
am	are	am	Are	is	Are
is	am	Are	Am	Is	am
are	is	Am	am	Are	Are
Am	are	Is	Is	am	도착

2주 누구나 100점 TEST

[1~2] 그림을 보고, 문장의 빈칸에 알맞은 말을 고르세요.

1

She ________ a dancer.

① be　　② am
③ is　　④ are

2

We ________ friends.

① be　　② am
③ is　　④ are

3 밑줄 친 부분을 바르게 줄여 쓴 것을 고르세요.

It is a ball.

① It's　　② It'is
③ I'tis　　④ It'se

4 주어진 문장을 부정문으로 바르게 바꾼 것을 고르세요.

I am a doctor.

① I not a doctor.
② I not am a doctor.
③ I am not a doctor.
④ I are not a doctor.

▶정답 13쪽

5 우리말 뜻과 일치하도록 밑줄 친 부분을 바르게 고친 것을 고르세요.

He is my friend.
그는 나의 친구가 아니다.

① is
② is not
③ are
④ are not

6 그림을 보고, 대화의 빈칸에 알맞은 말을 고르세요.

A ________________
B Yes, I am.

① Am I hungry?
② Is she hungry?
③ Are you hungry?
④ Are they hungry?

7 그림을 보고, 대화의 빈칸에 알맞은 말이 바르게 짝 지어진 것을 고르세요.

A Is ________ a bird?
B Yes, it ________.

① it – is
② it – are
③ you – is
④ they – are

8 그림을 보고, 빈칸에 알맞은 말을 써서 대화를 완성하세요.

A Are they zebras?
B Yes, ________________.

창의 · 융합 · 코딩 ❶ Brain Game Zone

배운 내용을 떠올리며 말판 놀이를 해 보세요.

2. 문장을 읽고, 알맞은 그림에 동그라미 하세요.
She is a teacher.
3. 밑줄 친 부분을 바르게 고쳐 쓰세요.
They is ducks.
➡ ____________
1. 어울리는 말끼리 연결하세요.
it •
• are
we •
• is
4. 그림을 보고, 알맞은 말을 고르세요.
(Is / Are) it a bird?
5. 대화를 읽고, 그림이 내용과 일치하면 ○ 표, 일치하지 않으면 × 표 하세요.
A Are you sad?
B No, I'm not.
START

정답 13쪽

6. 문장을 읽고, 그림과 일치하면 ○ 표, 일치하지 않으면 × 표 하세요.

They are not cups. ☐

7. 밑줄 친 부분을 바르게 고쳐 쓰세요.

She am not my sister.

➡ ____________

8. 질문과 대답을 바르게 연결하세요.

Are you a pilot? •	• No, they aren't.
Are they cats? •	• Yes, I am.

9. 질문을 읽고, 그림에 알맞은 대답을 골라 ✓표 하세요.

Is it a ball?

Yes, it is. ☐

No, it isn't. ☐

10. 그림을 보고, 대화를 완성하세요.

A ________ you a dancer?

B Yes, I ________.

A 다음 표에는 알파벳 대문자가 숨겨져 있어요. 주어와 be동사가 바르게 짝 지어진 칸에 색칠하여 숨겨진 알파벳 대문자를 찾아 쓰세요.

I am	It am	We are
You are	She is	They are
He is	It are	It is

숨겨진 알파벳 대문자:

B 토비가 메모지 위에 암호를 남겼어요. 단서 를 보고 암호를 풀어 문장을 쓰세요.

단서 1

♣	☆	◎	△	♠	♡	◈	◐	▼
a	e	h	i	m	r	s	t	y

단서 2

1. △ ♣♠ a student. ➡

2. △◐ △◈ a cup. ➡

3. ◐◎☆▼ ♣♡☆ ducks. ➡

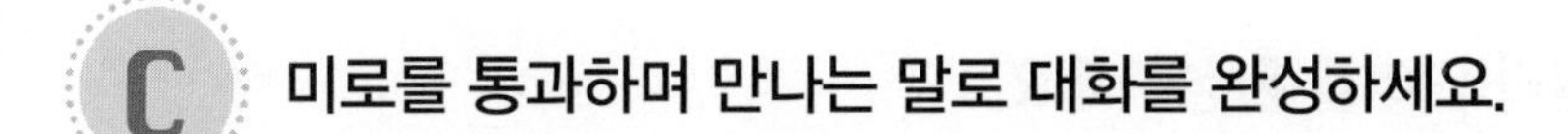

C 미로를 통과하며 만나는 말로 대화를 완성하세요.

1.

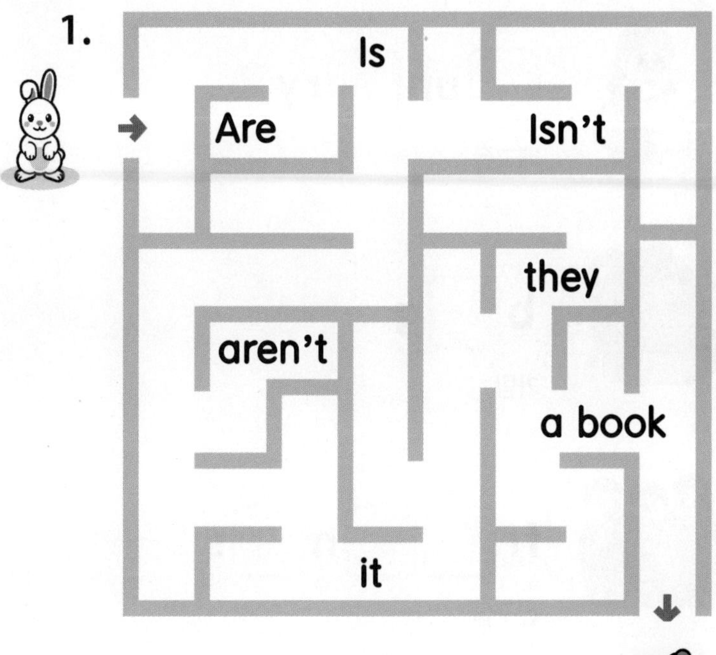

A ______________________

B Yes, it is.

2.

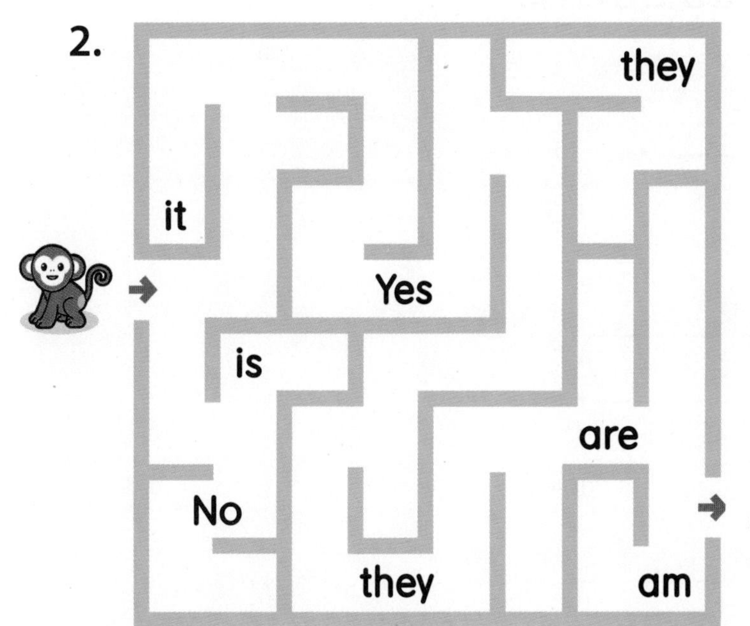

A Are they bananas?

B ______________________

2 주

Step A 다음 중 알맞은 알파벳을 골라 단어를 완성하세요.

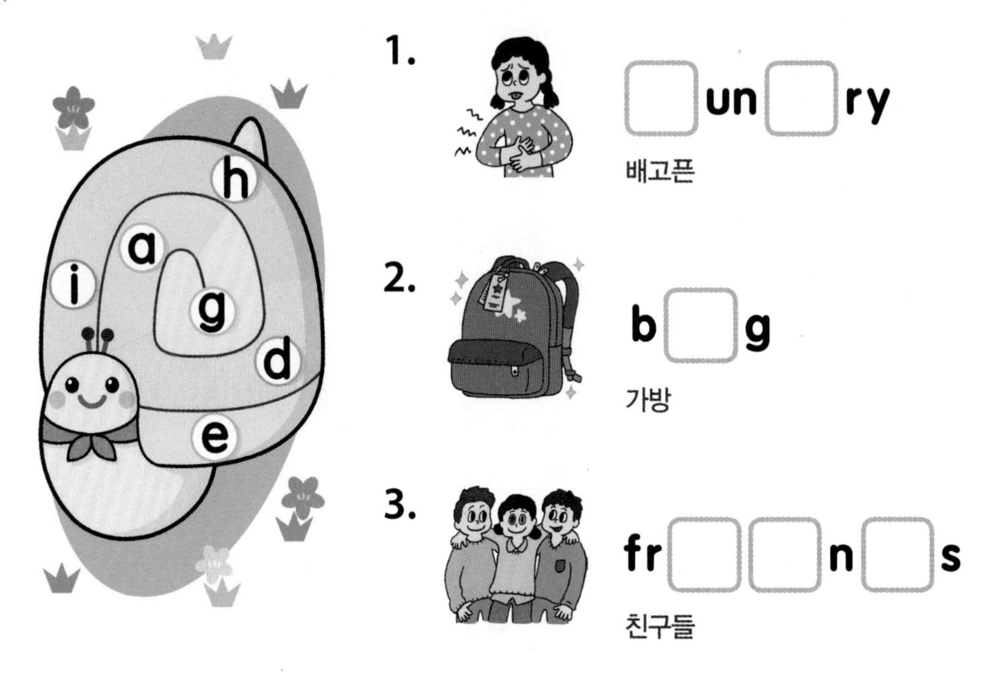

Step B Step A 의 단어를 사용하여 문장을 완성하세요.

1. I am ________.

나는 배고프다.

2. It is his ________.

그것은 그의 가방이다.

3. They are my ________.

그들은 나의 친구들이다.

힌트 를 참고하여 거울에 비친 단어를 바르게 써서 문장을 쓰세요.

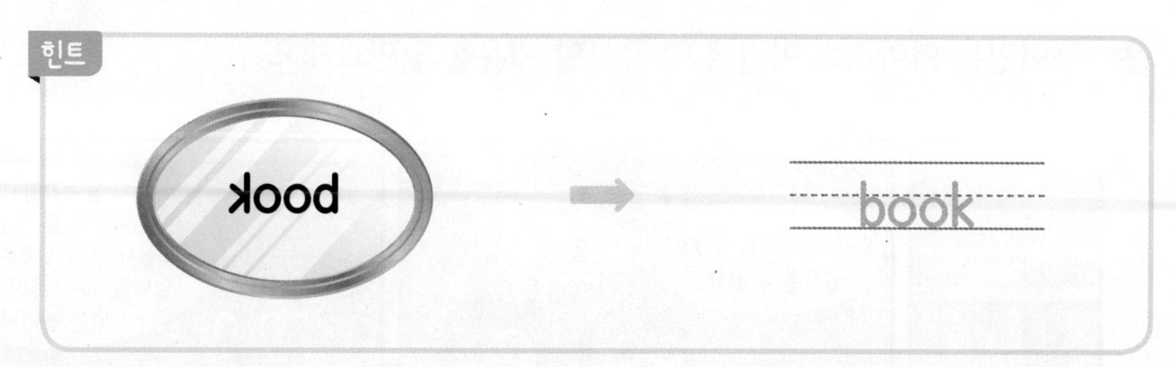

1.

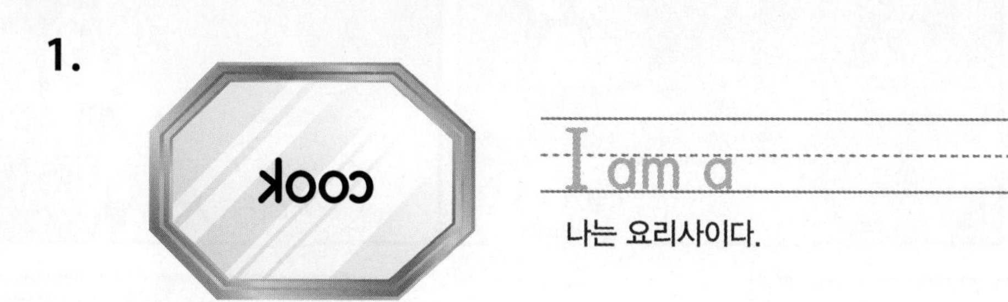

나는 요리사이다.

2.

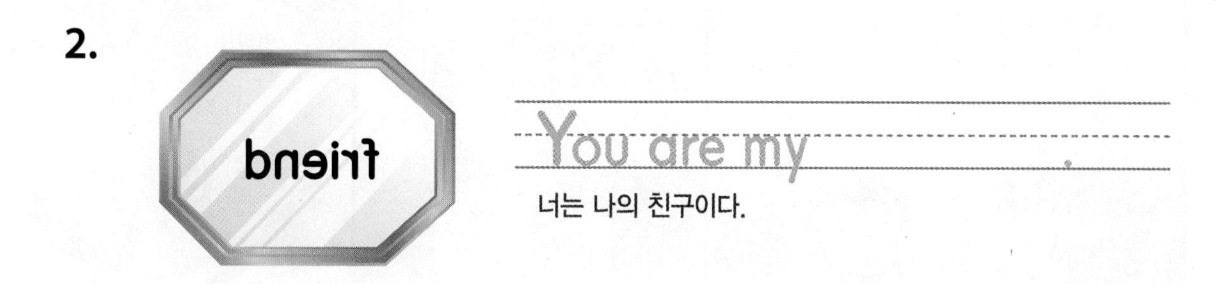

너는 나의 친구이다.

3.

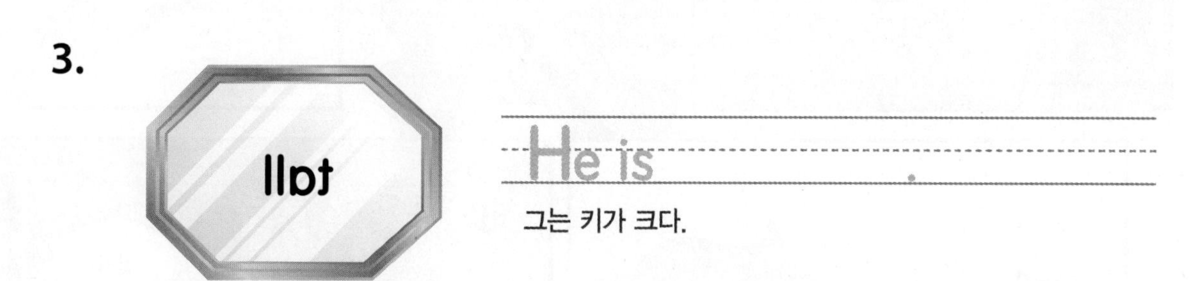

그는 키가 크다.

4.

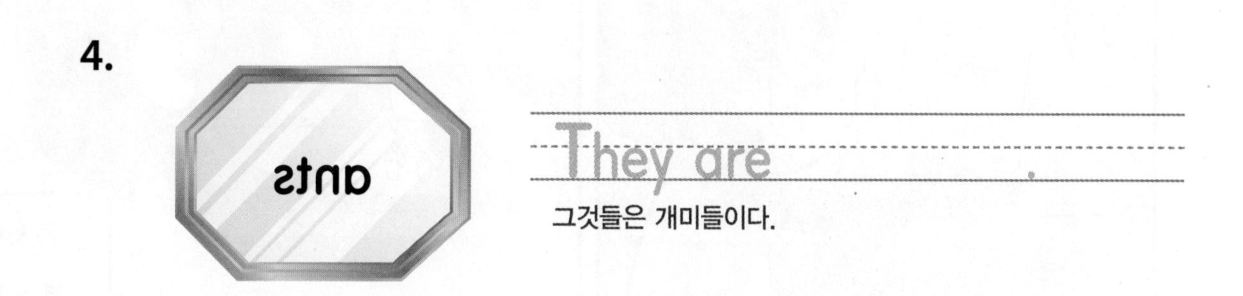

그것들은 개미들이다.

3주에는 무엇을 공부할까? ①

재미있는 이야기로 이번 주에 공부할 내용을 알아보세요.

일반동사

1일 ~ 4일 일반동사 공부 5일 3주 복습

3주에는 무엇을 공부할까? ❷

A

◉ 여러분이 오늘 하루 동안 한 동작에 동그라미 해 보세요.

먹다

노래하다

울다

요리하다

걷다

B

◉ 질문을 읽고, ○ 표 또는 × 표로 답해 보세요.

너는 축구를 하니? ☐

너는 책을 읽니? ☐

너는 요리를 하니? ☐

그는 모자가 필요하다

He Needs a Cap

재미있는 이야기로 오늘 배울 내용을 만나 보세요.

아, 또 알아 둘 게 있어.
-o, -s, -x, -ch, -sh로 끝나는
동사 뒤에는 -es를 붙여야 해.
아하.
He catches a ball well!

딱
건우야, 받아!
휘리리릭~
고마워!

3
주

그런데 새롬이는
어디에 있는 거야?

딱
딱
딱
다다다다
She runs fast.
와, 정말 빠르게 달린다.
우승도 노려볼 만한 걸.

1
등
폴짝
역시!

주어에 따라 일반동사의 모양이
어떻게 달라지는지 알아보자.

오늘은 무엇을 배울까요?

I sing a song.

나는 노래를 부른다.

He plays soccer.

그는 축구를 한다.

문법 쏙쏙

주어가 **He, She, It** 등일 때 대부분의 일반동사 끝에 **-s**를 붙여요. 동사가 **-o, -s, -x, -ch, -sh**로 끝나면 **-es**를 붙이고, '자음+**y**'로 끝나면 **-y**를 **-ies**로 바꿔요.

She loves her dogs. 그녀는 그녀의 개들을 사랑한다.

She washes her dogs. 그녀는 그녀의 개들을 씻긴다.

주어가 he, she, it 등일 때 동사 have는 has로 써.

주어에 따른 일반동사의 변화

He likes summer.
그는 / 좋아한다 / 여름을.

She watches TV.
그녀는 / 본다 / TV를.

He studies math.
그는 / 공부한다 / 수학을.

She has a bike.
그녀는 / 가지고 있다 / 자전거를.

▶정답 15쪽

그림을 보고, 알맞은 말에 동그라미 하세요.

1.

I watch	I watches

2.

She cook	She cooks

3 주

3.

He dance	He dances

4.

It eat	It eats

B 주어진 동사와 어울리는 주어에 ✓표 하세요.

1. ☐ I / ☐ She — reads

2. ☐ We / ☐ He — likes

3. ☐ You / ☐ It — goes

4. ☐ She / ☐ They — studies

실력 쑥쑥

그림을 보고, 알맞은 말에 동그라미 하세요.

1.

It (drink / drinks) milk.

그것은 우유를 마신다.

2.

He (watch / watches) TV.

그는 TV를 본다.

3.

She (have / has) a dog.

그녀는 개를 가지고 있다.

B 그림을 보고, 알맞은 말을 골라 문장을 완성하세요.

1.

She ______________ math.

그녀는 수학을 공부한다.

2.

He ______________ a bike.

그는 자전거를 탄다.

▶정답 15쪽

C 주어진 말을 알맞은 형태로 바꿔 문장을 완성하세요.

1. clean

She ______ her room.

그녀는 그녀의 방을 청소한다.

2. wash

He ______ his hands.

그는 그의 손을 씻는다.

3. eat

It ______ carrots.

그것은 당근을 먹는다.

D 그림을 보고, 알맞은 말을 보기 에서 골라 알맞은 형태로 바꿔 문장을 완성하세요.

보기 fly teach wear

1. It ______ high.

그것은 높이 난다.

2. He ______ English.

그는 영어를 가르친다.

3. She ______ glasses.

그녀는 안경을 쓴다.

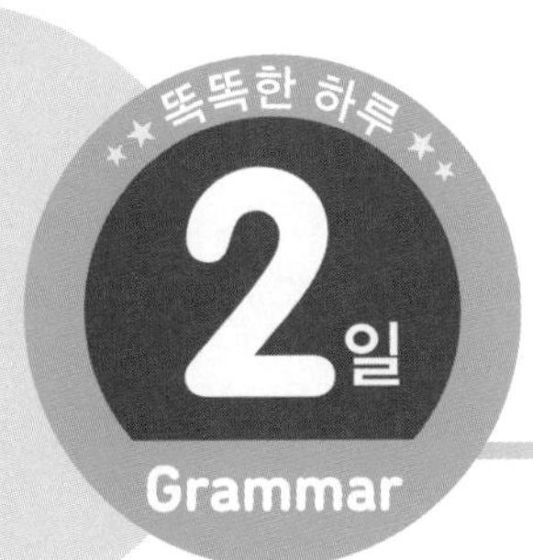

나는 수학을 좋아하지 않는다

I Do Not Like Math

재미있는 이야기로 오늘 배울 영문법을 만나 보세요.

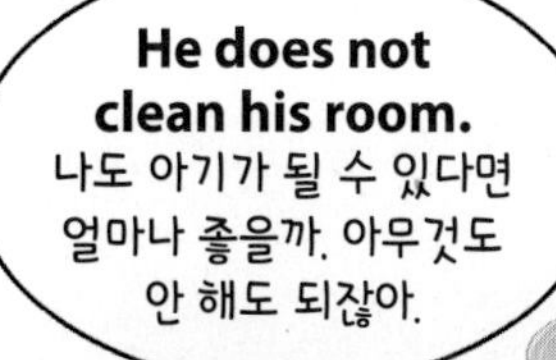

'~하지 않는다'라는 뜻을 나타낼
때 쓰는 말을 알아보자.

오늘은 무엇을 배울까요?

I do not like vegetables.

나는 채소를 좋아하지 않는다.

She does not read books.

그녀는 책을 읽지 않는다.

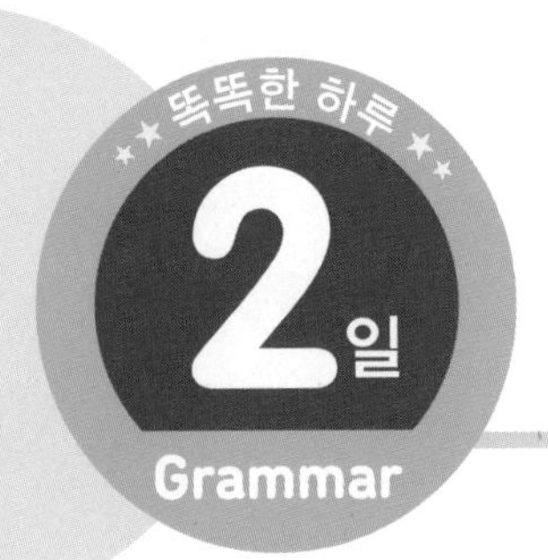

문법 쏙쏙

눈과 귀로 익혀요

'~하지 않는다'라는 뜻을 나타내는 일반동사의 부정문은 일반동사 앞에 **do not** 또는 **does not**을 써요.

 **I do not like cheese.** 나는 치즈를 좋아하지 않는다.

 **He does not eat cheese.** 그는 치즈를 먹지 않는다.

do not은 don't로, does not은 doesn't로 줄여 쓸 수 있어요.

손으로 익혀요 일반동사의 부정문

I do not drink milk. 나는 / 마시지 않는다 / 우유를.	**He does not dance.** 그는 / 춤을 추지 않는다.
We do not have the key. 우리는 / 가지고 있지 않다 / 열쇠를.	**It does not fly.** 그것은 / 날지 않는다.

▶정답 16쪽

A do not과 어울리는 주어에는 ○을, does not과 어울리는 주어에는 ☆을 그리세요.

I it we

you he

she they

3 주

B 주어진 말을 읽고, 어울리는 것에 동그라미 하세요.

1.
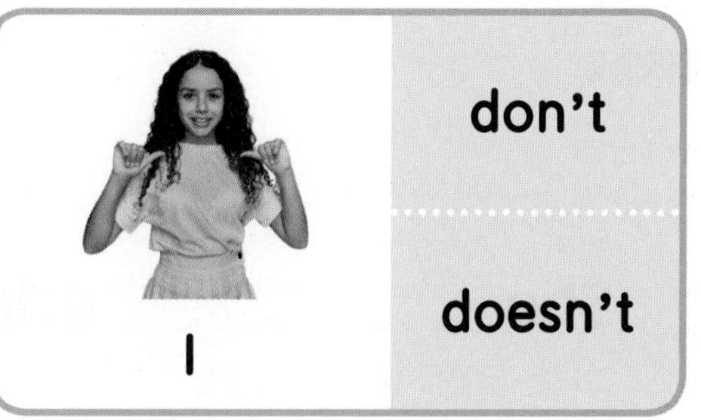

2.

3.

4.

실력 쑥쑥

A 그림을 보고, 알맞은 말에 동그라미 하세요.

1\. 

I (do not / not do) sing.

나는 노래를 하지 않는다.

2\. 

It (does not / not does) eat meat.

그것은 고기를 먹지 않는다.

3\. 

He (do not / does not) have a pen.

그는 펜을 가지고 있지 않다.

B 그림을 보고, 알맞은 말을 골라 문장을 완성하세요.

1\. 

don't / doesn't

She ________ drink milk.

그녀는 우유를 마시지 않는다.

2\. 

don't / doesn't

It ________ swim.

그것은 수영을 하지 않는다.

▶정답 16쪽

C 주어진 말과 do not 또는 does not을 이용하여 우리말 뜻과 일치하는 문장을 완성하세요.

1. watch

I ______ TV.

나는 TV를 보지 않는다.

2. cook

He ______ dinner.

그는 저녁 식사를 요리하지 않는다.

3. like

She ______ fruits.

그녀는 과일을 좋아하지 않는다.

D 그림을 보고, 알맞은 말을 보기에서 골라 do not 또는 does not을 이용하여 문장을 완성하세요.

보기 have play wear

1. They ______ tennis.

그들은 테니스를 치지 않는다.

2. He ______ glasses.

그는 안경을 쓰지 않는다.

3. She ______ long hair.

그녀는 긴 머리를 가지고 있지 않다.

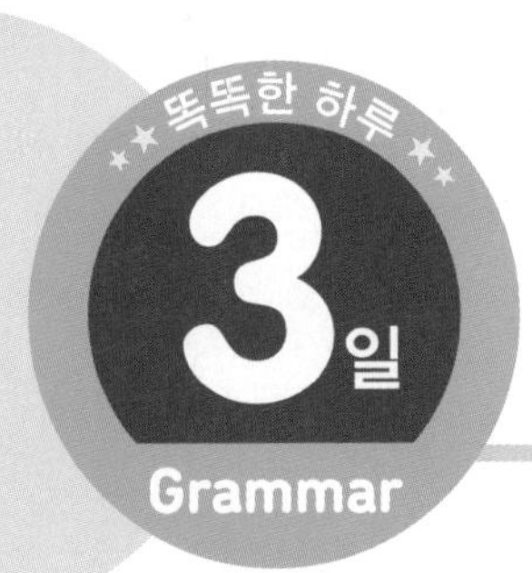

너는 꽃을 좋아하니?

Do You Like Flowers?

재미있는 이야기로 오늘 배울 영문법을 만나 보세요.

오늘은 무엇을 배울까요?

Do you have a cat?

너는 고양이를 가지고 있니?

Does she like milk?

그녀는 우유를 좋아하니?

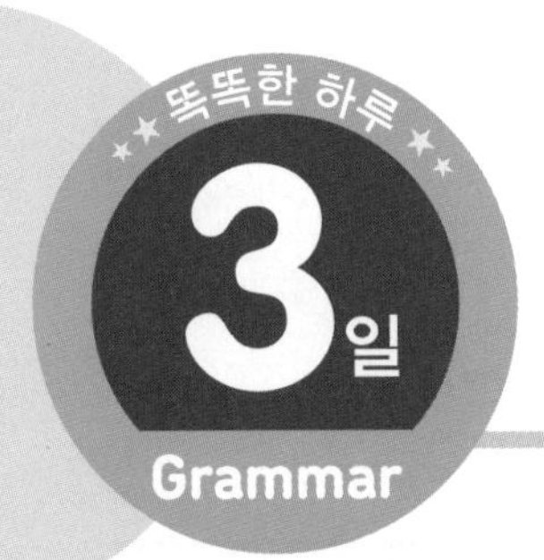

문법 쏙쏙

일반동사를 이용해서 질문할 때는 주어 앞에 **Do**나 **Does**를 쓰고, 주어 뒤에 동사 원형을 써요.

Do they play tennis?
그들은 테니스를 치니?

Does he ride a bike?
그는 자전거를 타니?

물어보고 싶을 때는 주어 앞에 Do나 Does를 써.

일반동사의 의문문

Do they dance well? 그들은 춤을 잘 추니?	**Does it fly?** 그것은 나니?
Do you like birds? 너는 새를 좋아하니?	**Does he read books?** 그는 책을 읽니?

▶정답 17쪽

A 그림을 보고, 알맞은 말에 ✓표 하세요.

1.

☐ Do ☐ Does you have a dog?

너는 개를 가지고 있니?

2.

☐ Do ☐ Does she sing well?

그녀는 노래를 잘하니?

3.

☐ Do ☐ Does they like candies?

그들은 사탕을 좋아하니?

B 문장을 읽고, 빈칸에 알맞은 말과 연결하세요.

1.

Do ______ eat carrots? •

너는 당근을 먹니?

• you

• she

2.

Does ______ watch TV? •

그는 TV를 보니?

• he

• they

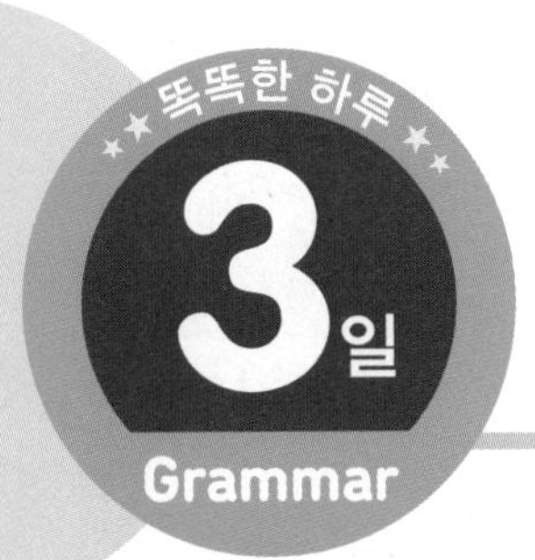

실력 쑥쑥

A 그림을 보고, 알맞은 말에 동그라미 하세요.

1. 

Do you (ride / riding) a bike?

너는 자전거를 타니?

2. 

Does he (play / plays) tennis?

그는 테니스를 치니?

3. 

Do they (learn / learns) English?

그들은 영어를 배우니?

B 그림을 보고, 알맞은 말을 골라 문장을 완성하세요.

1. 

__________ you like music?

너는 음악을 좋아하니?

2. 

__________ he eat meat?

그는 고기를 먹니?

▶정답 17쪽

C 주어진 단어를 바르게 배열하여 문장을 완성하세요.

1. they / do / like

_______________ carrots?

그들은 당근을 좋아하니?

2. does / read / he

_______________ books?

그는 책을 읽니?

3. eat / she / does

_______________ pizza?

그녀는 피자를 먹니?

D 그림을 보고, 알맞은 말을 보기 에서 골라 Do 또는 Does를 이용하여 문장을 완성하세요.

보기 want play wear

1. ______ she ______ glasses?

그녀는 안경을 쓰니?

2. ______ they ______ soccer?

그들은 축구를 하니?

3. ______ he ______ water?

그는 물을 원하니?

3 주

너는 축구를 하니? 응, 그래

Do You Play Soccer? – Yes, I Do

재미있는 이야기로 오늘 배울 영문법을 만나 보세요.

오늘은 무엇을 배울까요?

Do you eat pizza? 너는 피자를 먹니?
- Yes, I do. 응, 그래.

Does it fly? 그것은 나니?
- No, it doesn't. 아니, 그렇지 않아.

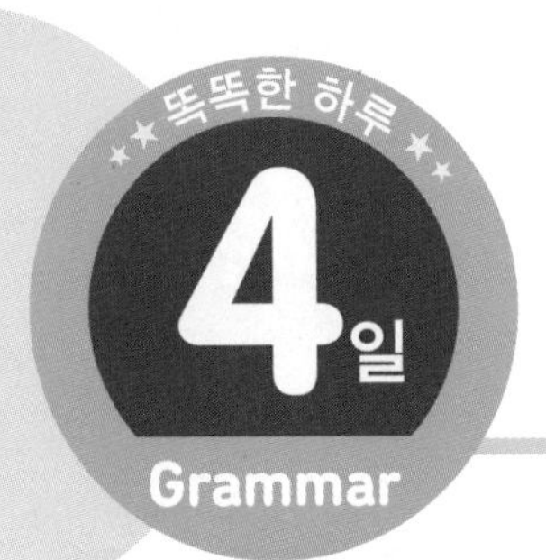

문법 쏙쏙

일반동사의 의문문에 대한 긍정의 대답은 '**Yes**, 주어+**do[does]**.', 부정의 대답은 '**No**, 주어+**do[does] not**.'으로 해요.

Do you like cats?
너는 고양이를 좋아하니?

- Yes, I do.
응, 그래.

Does he like cats?
그는 고양이를 좋아하니?

- No, he doesn't.
아니, 그렇지 않아.

맞으면 <Yes, 주어+do/does.>, 아니면 <No, 주어+don't/doesn't.>로 답해.

일반동사의 의문문에 대한 대답

Do you drink milk? 너는 우유를 마시니?	**Yes, I do. / No, I don't.** 응, 그래. 아니, 그렇지 않아.
Does he eat fish? 그는 생선을 먹니?	**Yes, he does. / No, he doesn't.** 응, 그래. 아니, 그렇지 않아.

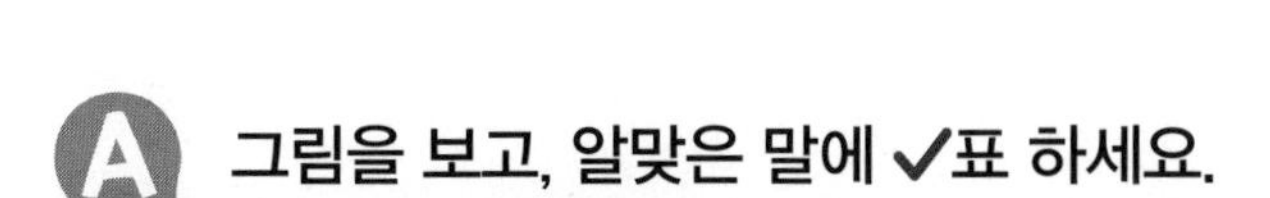

▶정답 18쪽

A 그림을 보고, 알맞은 말에 ✓표 하세요.

1. 

A Does he eat breakfast?

그는 아침 식사를 하니?

B ☐ Yes ☐ No , he does.

응, 그래.

2. 

A Do they play soccer?

그들은 축구를 하니?

B ☐ Yes ☐ No , they don't.

아니, 그렇지 않아.

3 주

B 자연스러운 대화가 되도록 알맞은 말에 동그라미 하세요.

1. A Do you want water?

너는 물을 원하니?

B Yes, (I do / I does).

응, 그래.

2. A Does it eat carrots?

그것은 당근을 먹니?

B No, (it don't / it doesn't).

아니, 그렇지 않아.

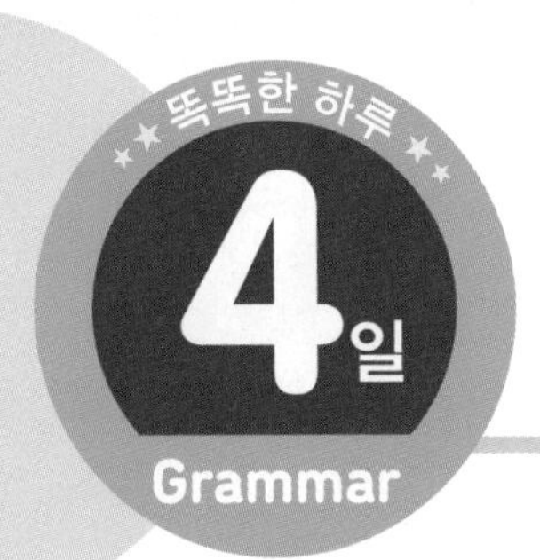

실력 쑥쑥

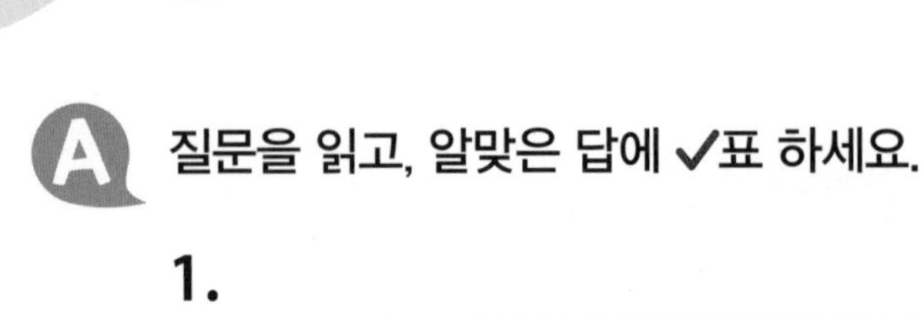

A 질문을 읽고, 알맞은 답에 ✓표 하세요.

1. Do you need a pen?
너는 펜이 필요하니?
- ☐ Yes, I do.
- ☐ Yes, I don't.

2. Does it drink milk?
그것은 우유를 마시니?
- ☐ No, it isn't.
- ☐ No, it doesn't.

B 그림을 보고, 알맞은 말을 골라 대화를 완성하세요.

1. they do / they does

A Do they eat ice cream?
그들은 아이스크림을 먹니?

B Yes, ______________.
응, 그래.

2. she don't / she doesn't

A Does she have a robot?
그녀는 로봇을 가지고 있니?

B No, ______________.
아니, 그렇지 않아.

▶정답 18쪽

C 그림을 보고, 빈칸에 알맞은 말을 써서 대화를 완성하세요.

1.

A ________ you ride a bike?
너는 자전거를 타니?

B Yes, I ________.
응, 그래.

2.

A ________ he eat vegetables?
그는 채소를 먹니?

B No, he ________.
아니, 그렇지 않아.

3 주

D 그림을 보고, 알맞은 말을 보기 에서 골라 대화를 완성하세요.

보기	Yes	No	does	don't

1. A Do they eat meat?
그것들은 고기를 먹니?

B ☐, they ☐.
아니, 그렇지 않아.

2. A Does he play the guitar?
그는 기타를 치니?

B ☐, he ☐.
응, 그래.

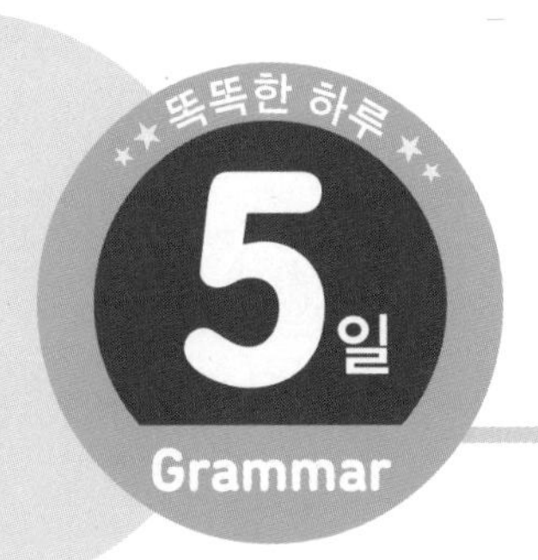

3주 복습

재미있는 이야기로 한 주 동안 배운 내용을 복습해 보세요.

1일

2일

3일

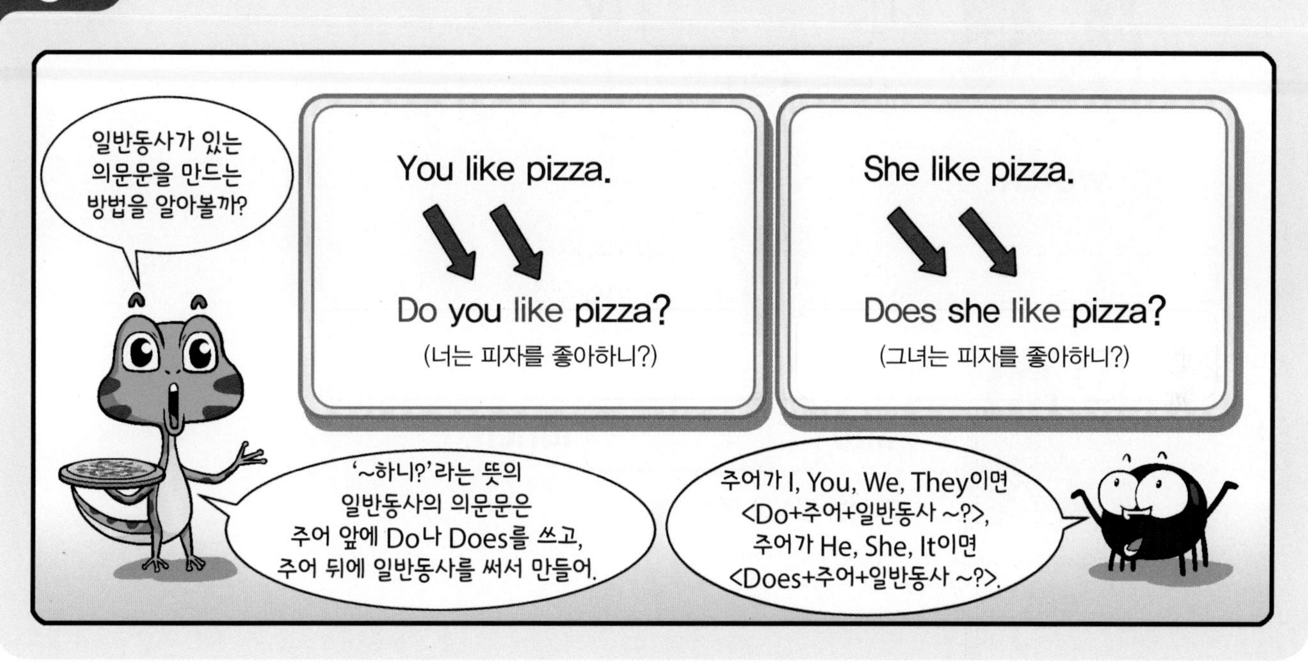
일반동사가 있는 의문문을 만드는 방법을 알아볼까?
You like pizza.
Do you like pizza?
(너는 피자를 좋아하니?)
She like pizza.
Does she like pizza?
(그녀는 피자를 좋아하니?)
'~하니?'라는 뜻의 일반동사의 의문문은 주어 앞에 Do나 Does를 쓰고, 주어 뒤에 일반동사를 써서 만들어.
주어가 I, You, We, They이면 <Do+주어+일반동사 ~?>, 주어가 He, She, It이면 <Does+주어+일반동사 ~?>.

4일

일반동사의 의문문에 어떻게 대답하는지 알아보자. 맞으면 <Yes, 주어+do / does.>, 그렇지 않으면 <No, 주어+don't /doesn't.>로 대답하면 돼. 간단하지?
Do you like pizza?
(너는 피자를 좋아하니?)
Yes, I do.
(응, 그래.)
No, I don't.
(아니, 그렇지 않아.)
Does she like pizza?
(그녀는 피자를 좋아하니?)
Yes, she does.
(응, 그래.)
No, she doesn't.
(아니, 그렇지 않아.)

A 그림을 보고, 주어진 단어를 이용하여 문장을 완성하세요.

1\.

I [   ] TV.

나는 TV를 본다.

watch

2\.

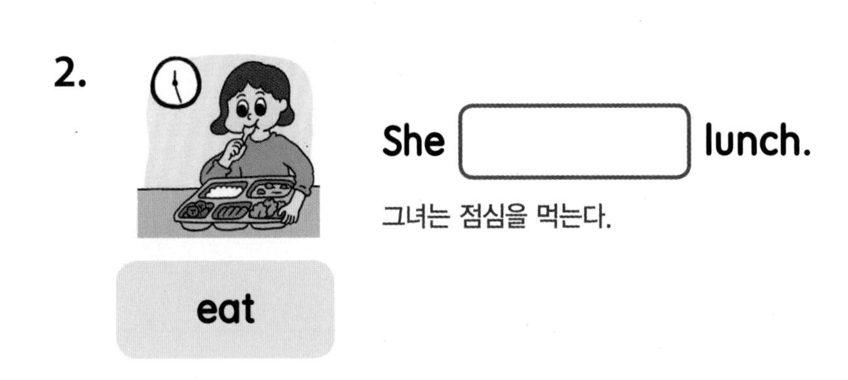

She [   ] lunch.

그녀는 점심을 먹는다.

eat

B 알맞은 말을 골라 우리말 뜻과 일치하도록 문장을 완성하세요.

1\.

☐ do not
☐ does not

He ________ like cats.

그는 고양이들을 좋아하지 않는다.

2\.

☐ do not
☐ does not

They ________ have long legs.

그것들은 긴 다리를 가지고 있지 않다.

▶정답 19쪽

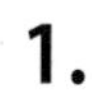 그림을 보고, 주어진 말을 바르게 배열하여 문장을 쓰세요.

1. 

you | do | cook ?

➡ ______________________

너는 요리를 하니?

2.

she | sing | does ?

➡ ______________________

그녀는 노래를 하니?

3 주

D 그림을 보고, 알맞은 말을 써서 대화를 완성하세요.

1. 

A Do you play tennis?
너는 테니스를 치니?

B Yes, I ____________.
응, 그래.

2. 

A Does she have a cat?
그녀는 고양이를 가지고 있니?

B No, she ____________.
아니, 그렇지 않아.

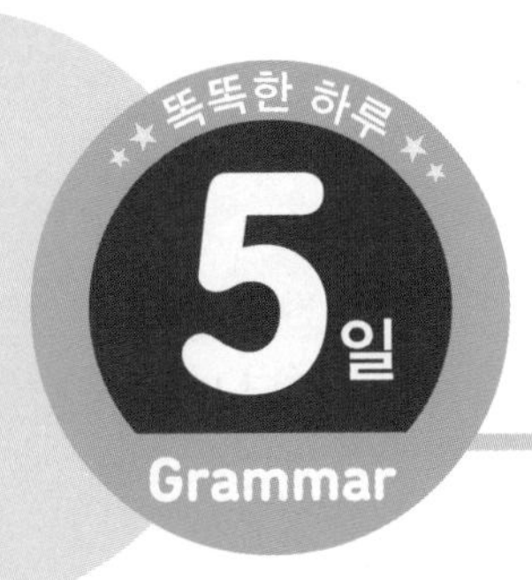

쏙쏙 정리 ❷

A 그림과 힌트를 보고, 크로스워드 퍼즐을 완성하세요.

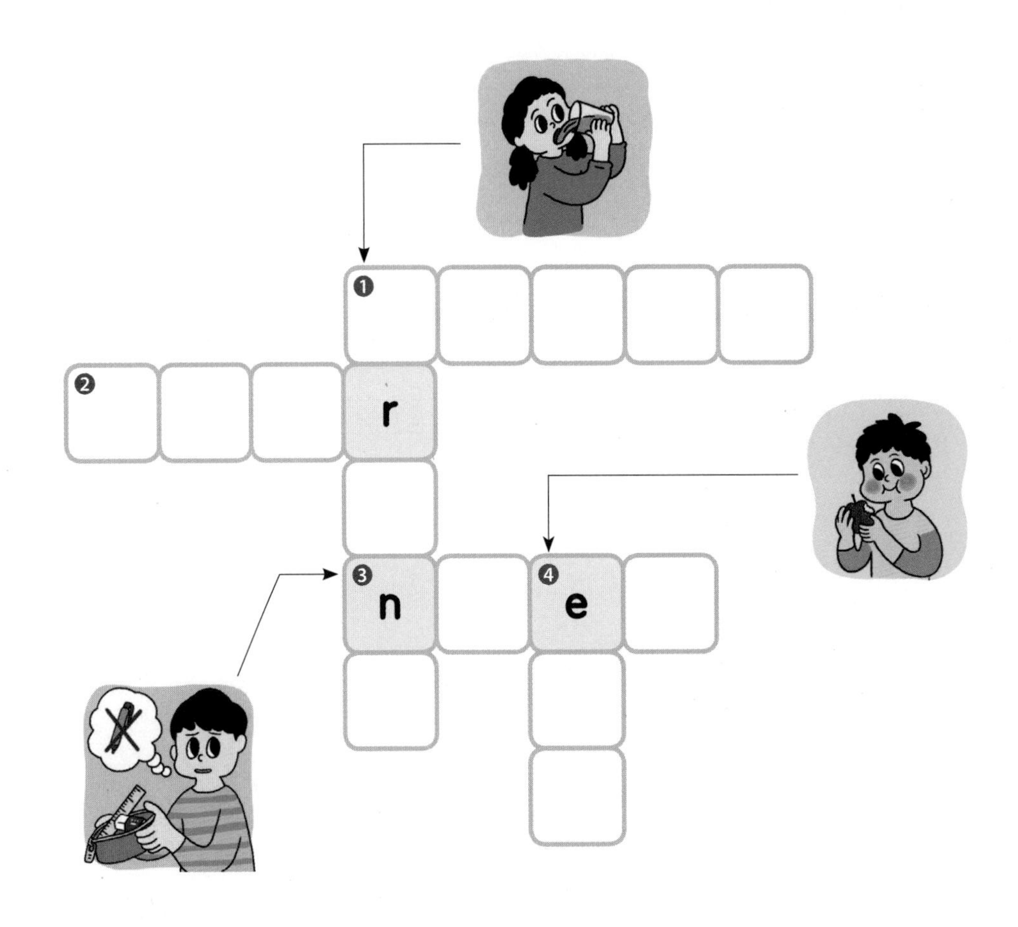

힌트

가로

❶ ______________ well
춤을 잘추다

❷ ______________ glasses
안경을 쓰다

❸ ______________ a pen
펜을 필요로 하다

세로

❶ ______________ juice
주스를 마시다

❹ ______________ an apple
사과를 먹다

▶정답 19쪽

B 빈칸에 알맞은 말을 퍼즐판에서 찾아 동그라미 하세요.

1. I [   ] a cup.
   나는 컵이 필요하다.

2. He [   ] music.
   그는 음악을 좋아한다.

3. It [   ] carrots.
   그것은 당근을 먹는다.

4. [   ] he play soccer?
   그는 축구를 하니?

5. She does [   ] ride a bike.
   그녀는 자전거를 타지 않는다.

l	i	k	E	q	s	r	u
a	n	e	e	d	s	H	c
W	j	k	l	e	l	D	p
n	y	B	i	t	z	o	l
n	o	t	k	c	i	e	a
f	a	B	e	C	e	s	m
Q	i	k	s	e	v	t	K
s	e	a	t	s	N	w	c

3주 누구나 100점 TEST

1 단어에 알맞은 그림을 고르세요.

sing

① 

② 

③ 

④ 

2 그림에 알맞은 말을 고르세요.

① read

② cook

③ eat

④ dance

[3~4] 빈칸에 알맞은 말을 고르세요.

3

He ________ TV.

① watch

② watchs

③ watches

④ watchhes

4

She ________ like dogs.

① isn't

② aren't

③ don't

④ doesn't

맞은 개수 /8개

▶정답 20쪽

5 빈칸에 들어갈 수 없는 말을 고르세요.

She ____________.

① have a cat

② dances well

③ cooks lunch

④ plays soccer

6 그림을 보고, 빈칸에 알맞은 말을 고르세요.

A ________________

B No, she isn't.

① Is she a cook?

② Are you a cook?

③ Do you cook?

④ Does she cook?

7 그림을 보고, 알맞은 문장의 기호를 쓰세요.

ⓐ She has a dog.

ⓑ We learn English.

(1) (2)

8 그림을 보고, 주어진 질문에 대한 답을 완성하세요.

Do you play soccer?

Yes, I ______________.

3 주

배운 내용을 떠올리며 말판 놀이를 해 보세요.

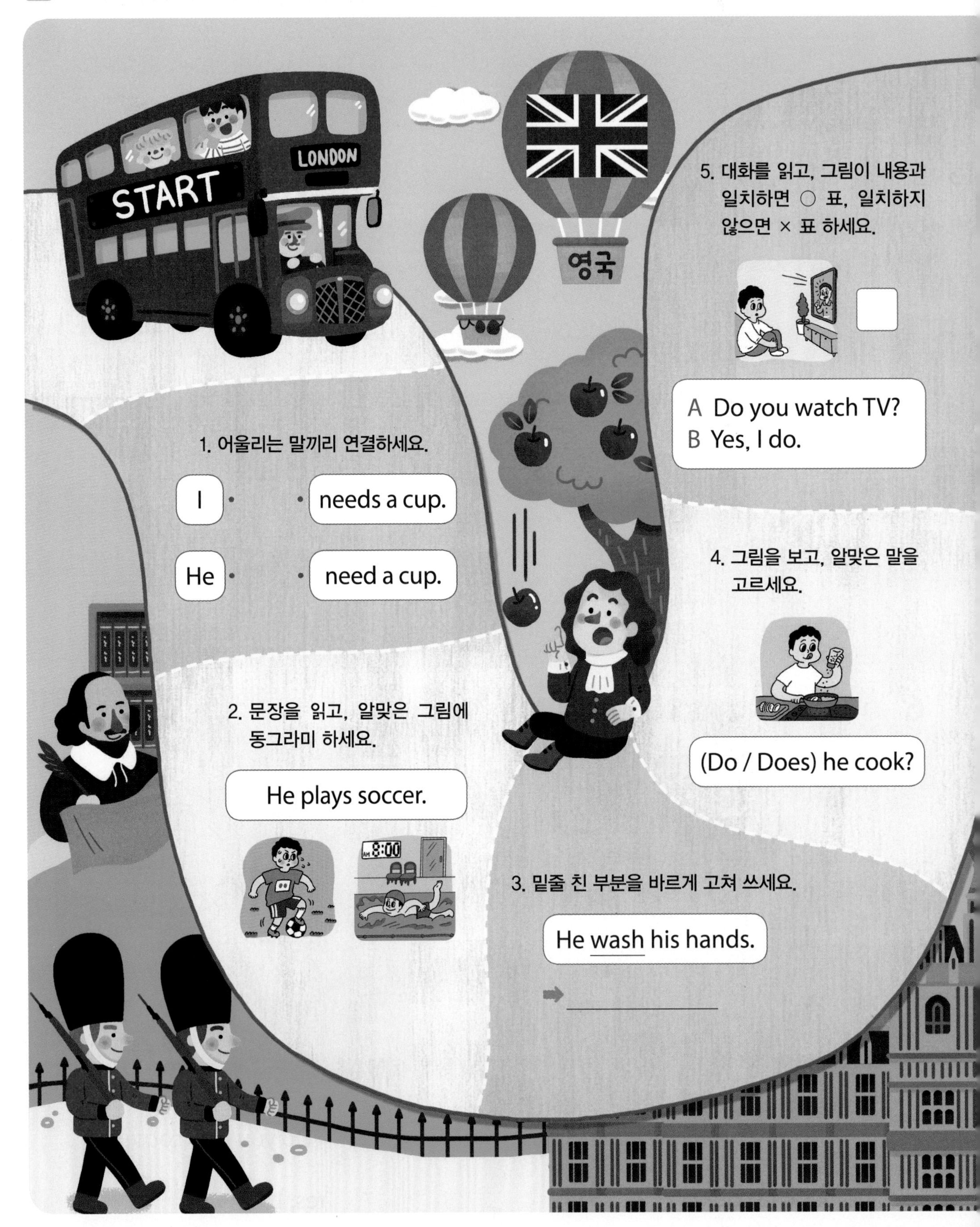

START
LONDON
영국
1. 어울리는 말끼리 연결하세요.
I
He
needs a cup.
need a cup.
2. 문장을 읽고, 알맞은 그림에 동그라미 하세요.
He plays soccer.
3. 밑줄 친 부분을 바르게 고쳐 쓰세요.
He wash his hands.
➡
4. 그림을 보고, 알맞은 말을 고르세요.
(Do / Does) he cook?
5. 대화를 읽고, 그림이 내용과 일치하면 ○ 표, 일치하지 않으면 × 표 하세요.
A Do you watch TV?
B Yes, I do.

정답 20쪽

6. 그림과 문장이 일치하면 ○ 표, 일치하지 않으면 × 표 하세요.

She does not like dogs. ☐

7. 밑줄 친 부분을 바르게 고쳐 쓰세요.

We does not eat carrots.

➡ ____________

8. 질문과 대답을 바르게 연결하세요.

Do you ride a bike? •		• No, he doesn't.
Does he like music? •		• Yes, I do.

9. 질문을 읽고, 그림에 알맞은 대답을 골라 ✔표 하세요.

Do you have a pen?

- Yes, I do. ☐
- No, I don't. ☐

10. 그림을 보고, 대화를 완성하세요.

A ________ it drink milk?

B Yes, it ________.

A 그림을 보고, 빈칸에 알맞은 단어를 찾아 동그라미 하세요.

play	eat	have
read	eats	makes
runs	run	has
make	reads	plays

1.

I ________ a book.

2.

He ________ soccer.

3.

She ________ a dog.

4.

They ________.

B 화살표 방향대로 표의 칸을 따라가면 문장이 만들어져요. 힌트를 참고하여 문장을 만들어 대화를 완성하세요.

힌트

출발	Do	is
you	are	ducks
like	cats	?

→ ↙ ↓ → →

A Do you like cats?
B Yes, I do.

1.

you	don't	they
cook	eat	Do
?	carrots	출발

↑ ↑ ↙ ↓ ←

A ______________________
B No, they don't.

2.

orange	see	milk
출발	drink	?
Does	it	she

↓ → ↑ ↗ ↓

A ______________________
B Yes, it does.

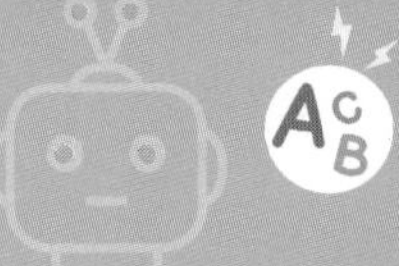

Step A 다음 중 알맞은 알파벳을 골라 어구를 완성하세요.

1. I dr☐☐k
나는 마신다

2. They sin☐
그들은 노래한다

3. He w☐☐ches
그는 본다

Step B Step A 의 어구를 이용하여 문장을 완성하세요.

1. I ________ juice.
나는 주스를 마신다.

2. They ________ a song.
그들은 노래를 한다.

3. He ________ TV.
그는 TV를 본다.

정답 21쪽

Step C 힌트 를 참고하여 거울에 비친 단어를 바르게 써서 문장을 쓰세요.

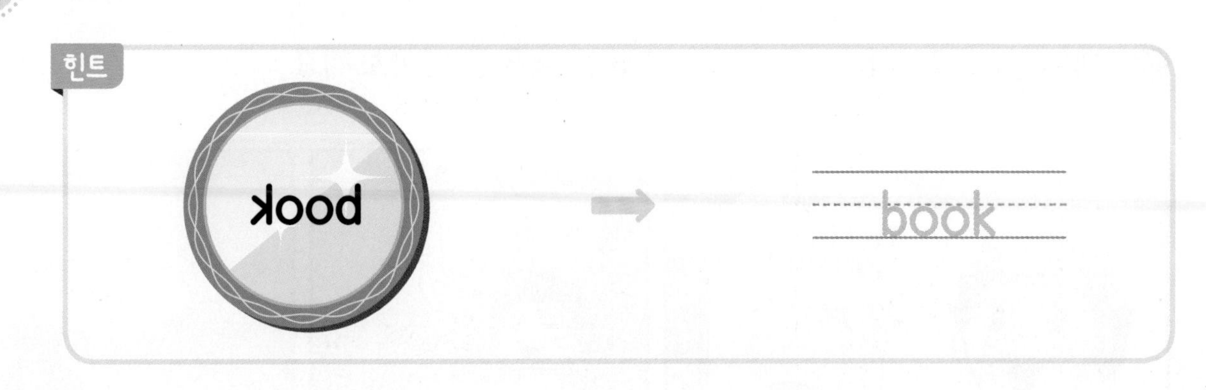

3 주

1.

I ______ dinner.

나는 저녁 식사를 요리한다.

2.

She ______ a book.

그녀는 책을 읽는다.

3.

He ______ his room.

그는 그의 방을 청소한다.

4.

They ______ milk.

그들은 우유를 원한다.

4주 4주에는 무엇을 공부할까? ①

재미있는 이야기로 이번 주에 공부할 내용을 알아보세요.

명사

1일 ~ 4일 형용사 공부　　5일 4주 복습

4주 4주에는 무엇을 공부할까? ②

A

◉ 그림과 어울리는 형용사를 찾아 써 보세요.

뚱뚱한 빨간색 무거운 작은 슬픈

1. ________ 소년

2. ________ 상자들

3. ________ 컵

4. ________ 옷

답 1. 슬픈 2. 무거운 3. 빨간색 4. 작은

B

4 주

◉ 반대되는 뜻을 나타내는 말끼리 연결해 보세요.

답 키가 큰-키가 작은, 느린-빠른, 기쁜-슬픈

뚱뚱한 큰 긴
Fat, Big, Long

재미있는 이야기로 오늘 배울 내용을 만나 보세요.

오늘은 무엇을 배울까요?

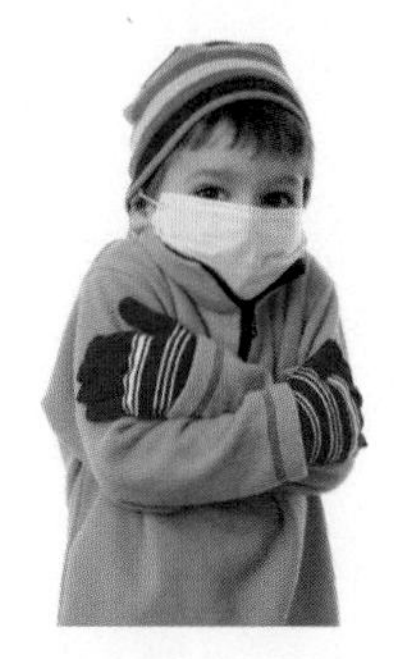

I am cold.
나는 춥다.

I want hot tea.
나는 뜨거운 차를 원한다.

문법 쏙쏙

형용사는 명사의 모양, 상태, 성질, 색깔 등의 특징을 나타내는 말이에요.

sunny 화창한

tall 키가 큰

hungry 배고픈

blue 파란색의

형용사는 명사를 꾸미는 말이야.

명사의 특징을 나타내는 형용사

big	tall	long	new	slow	full
큰	키가 큰	긴	새로운	느린	배부른
red	blue	green	happy	angry	kind
빨간색의	파란색의	초록색의	행복한	화난	친절한

▶정답 22쪽

A 명사의 특징을 나타내는 말을 찾아 동그라미 하세요.

book fat

happy arm

box old slow

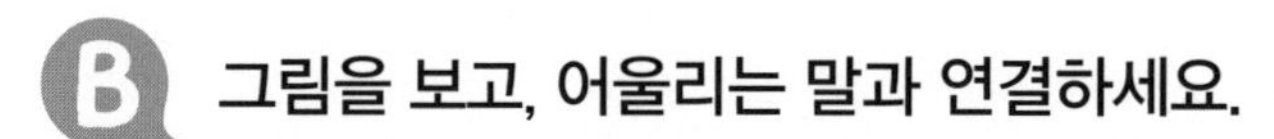

4주

B 그림을 보고, 어울리는 말과 연결하세요.

1. 

2. 

3. 

slow	green	sad
느린	초록색의	슬픈

실력 쏙쏙

그림을 보고, 알맞은 말에 ✓표 하세요.

1.

☐ clean (깨끗한) ☐ fast (빠른)

2.

☐ full (배부른) ☐ long (긴)

3.

☐ angry (화가 난) ☐ happy (행복한)

B 주어진 말의 우리말 뜻으로 알맞은 것에 ✓표 하세요.

1. cute — ☐ 가벼운 ☐ 귀여운

2. busy — ☐ 바쁜 ☐ 즐거운

3. sunny — ☐ 느린 ☐ 화창한

4. sweet — ☐ 맛있는 ☐ 달콤한

▶정답 22쪽

C 그림을 보고, 알맞은 말을 골라 써 보세요.

1\.

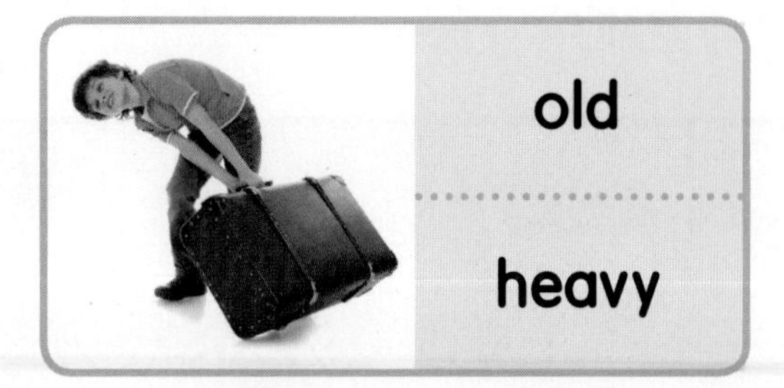

old / heavy

________ 무거운

2\.

cold / sleepy

________ 차가운

D 그림을 보고, 알맞은 말을 보기 에서 골라 써 보세요.

보기	yellow	dirty	rainy

1\. [ ] 비가 오는

2\. [ ] 노란색의

3\. [ ] 더러운

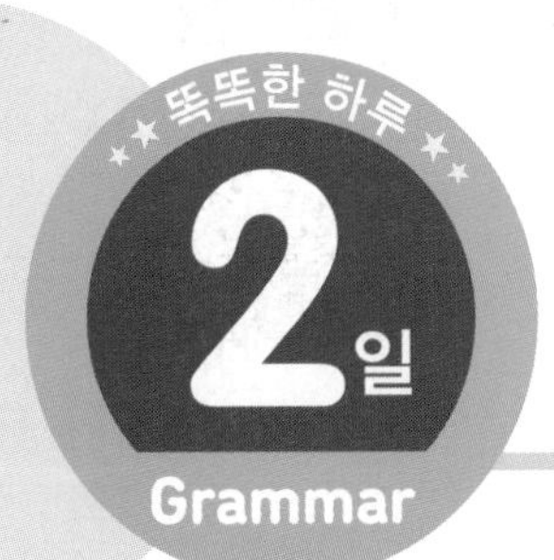

그녀는 빠르다

She Is Fast

재미있는 이야기로 오늘 배울 영문법을 만나 보세요.

오늘은 무엇을 배울까요?

It is big.
그것은 크다.

He is old.
그는 나이가 많다.

I am happy.
나는 행복하다.

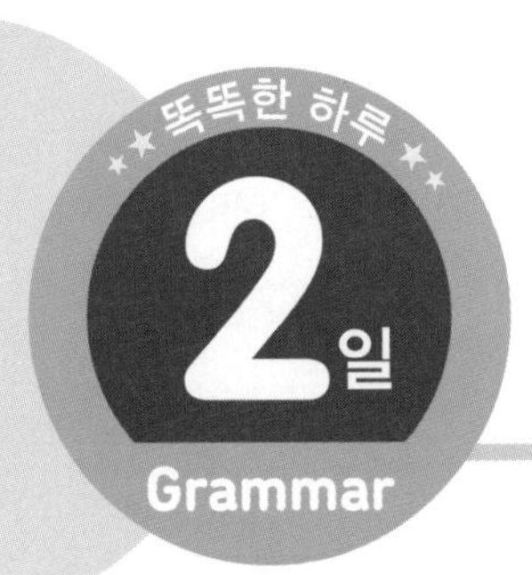

문법 쏙쏙

형용사는 **be**동사 뒤에서 주어를 보충 설명할 수 있어요.

She is strong. 그녀는 힘이 세다.

It is heavy. 그것은 무겁다.

형용사가 무엇의 특징을
나타내는지 살펴 봐.

주어를 보충 설명하는 형용사

He is short. 그는 ~이다 / 키가 작은.	**It is old.** 그것은 ~이다 / 낡은.
They are sweet. 그것들은 ~이다 / 달콤한.	**We are happy.** 우리는 ~이다 / 행복한.

▶정답 23쪽

 그림을 보고, 형용사에 동그라미 하세요.

1.

I am angry.

나는 화가 난다.

2.

It is red.

그것은 빨간색이다.

3.

They are sweet.

그것들은 달콤하다.

4.

He is cute.

그는 귀엽다.

B 이어질 말로 알맞은 것에 ✓표 하세요.

1. I am

- run. ☐
- my. ☐
- full. ☐

2. It is

- like. ☐
- big. ☐
- wear. ☐

4주

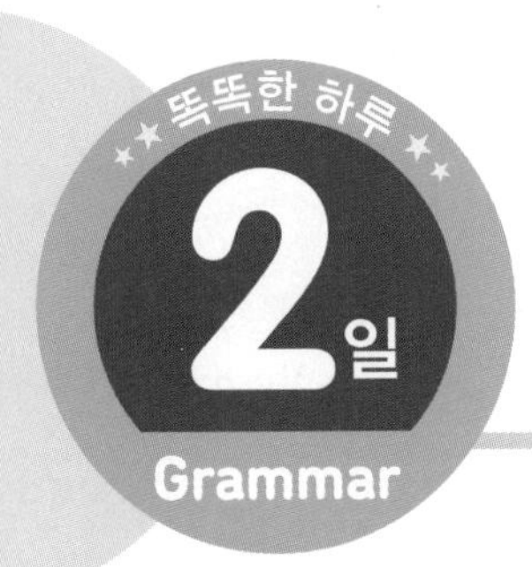

실력 쏙쏙

A 그림을 보고, 알맞은 말을 골라 ✓표 하세요.

1. It ☐ is small ☐ small is .

그것은 작다.

2. I ☐ am hungry ☐ hungry am .

나는 배가 고프다.

3. They ☐ slow ☐ are slow .

그것들은 느리다.

B 그림을 보고, 알맞은 말을 골라 문장을 완성하세요.

1. 

She is ________ .

그녀는 졸리다.

2. 

It is ________ .

그것은 뚱뚱하다.

▶정답 23쪽

C 주어진 단어를 바르게 배열하여 문장을 완성하세요.

1. green / is

It ______________ .

그것은 초록색이다.

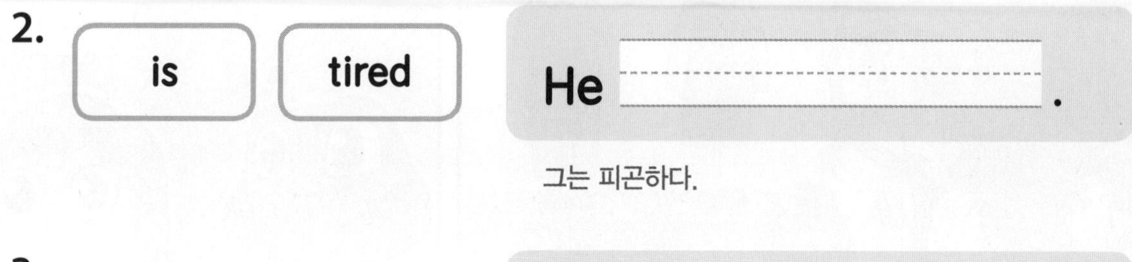

2. is / tired

He ______________ .

그는 피곤하다.

3. salty / are

They ______________ .

그것들은 짜다.

D 그림을 보고, 알맞은 말을 보기 에서 골라 어울리는 be동사를 이용하여 문장을 완성하세요.

보기 big　happy　snowy

1. It ______________ .

눈이 내린다.

2. It ______________ .

그것은 크다.

3. I ______________ .

나는 행복하다.

4 주

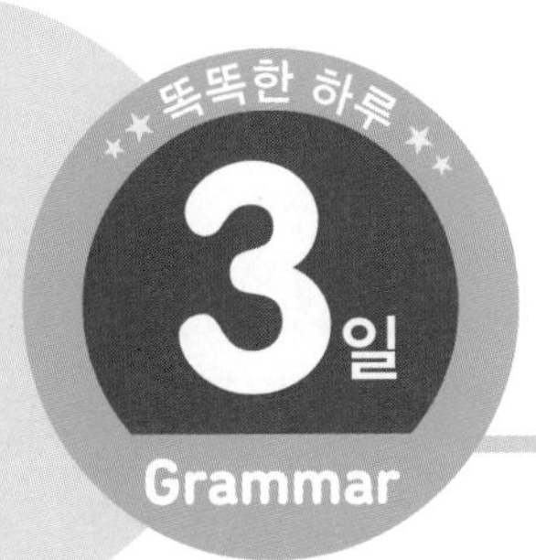

나는 파란 셔츠가 좋다

I Like the Blue Shirt

재미있는 이야기로 오늘 배울 영문법을 만나 보세요.

명사 앞에서 명사를 꾸미는 형용사의 쓰임을 알아보자.

오늘은 무엇을 배울까요?

I eat a fresh apple.
나는 신선한 사과를 먹는다.

I have a black dog.
나는 검은색 개를 가지고 있다.

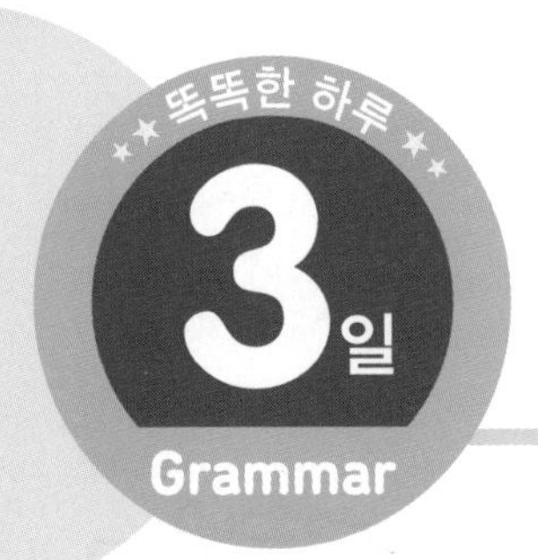

문법 쏙쏙

형용사는 명사 앞에서 명사를 꾸며 의미를 구체적으로 설명해요.

It is a nice hat. 그것은 멋진 모자이다.

I want a new hat. 나는 새 모자를 원한다.

a나 an은 형용사 앞에 써.

명사를 앞에서 꾸미는 형용사

I want cold water.
나는 / 원한다 / 차가운 / 물을.

He is a tall boy.
그는 / 이다 / 키가 큰 / 소년.

It is an old bag.
그것은 / 이다 / 낡은 / 가방.

We see big trees.
우리는 / 본다 / 큰 / 나무들을.

▶정답 24쪽

그림을 보고, 알맞은 말에 동그라미 하세요.

1.

sad / long ears

2.

happy / kind boy

3.

sour / dry lemon

4.

blue / yellow cup

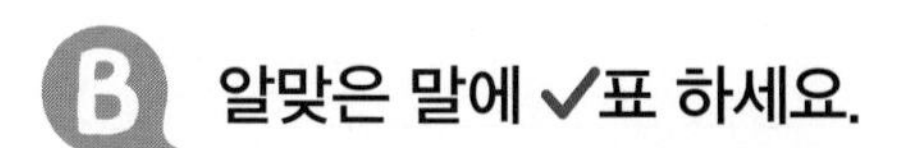

B 알맞은 말에 ✓표 하세요.

1.
- ☐ fresh vegetables
- ☐ vegetables fresh

2.
- ☐ dirty hands
- ☐ hands dirty

3.
- ☐ delicious pizza
- ☐ pizza delicious

4.
- ☐ long hair
- ☐ hair long

4 주

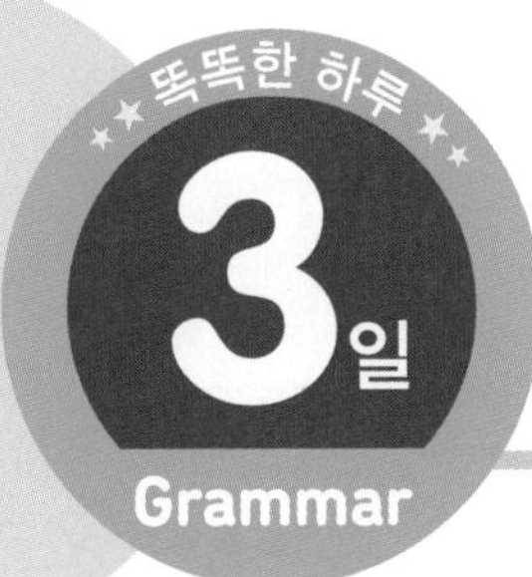

실력 쏙쏙

A 그림을 보고, 주어진 말이 들어갈 곳에 ✓표 하세요.

1. new

He ☐ wants ☐ a ☐ car.

그는 새 자동차를 원한다.

2. beautiful

I ☐ see ☐ flowers ☐.

나는 아름다운 꽃들을 본다.

3. sweet

We ☐ eat ☐ bananas ☐.

우리는 달콤한 바나나들을 먹는다.

B 그림을 보고, 알맞은 말을 골라 문장을 완성하세요.

1. box big / big box

It is a ______________.

그것은 큰 상자이다.

2. long hair / hair long

I have ______________.

나는 긴 머리카락을 가지고 있다.

▶정답 25쪽

C 주어진 단어를 바르게 배열하여 문장을 완성하세요.

1. cat / black

I have a ______________ .

나는 검은색 고양이를 가지고 있다.

2. blue / eyes

He has ______________ .

그는 파란 눈을 가지고 있다.

3. pencil / long

She has a ______________ .

그녀는 긴 연필을 가지고 있다.

4 주

D 그림을 보고, 알맞은 말을 보기 에서 골라 문장을 완성하세요.

보기 big cold new

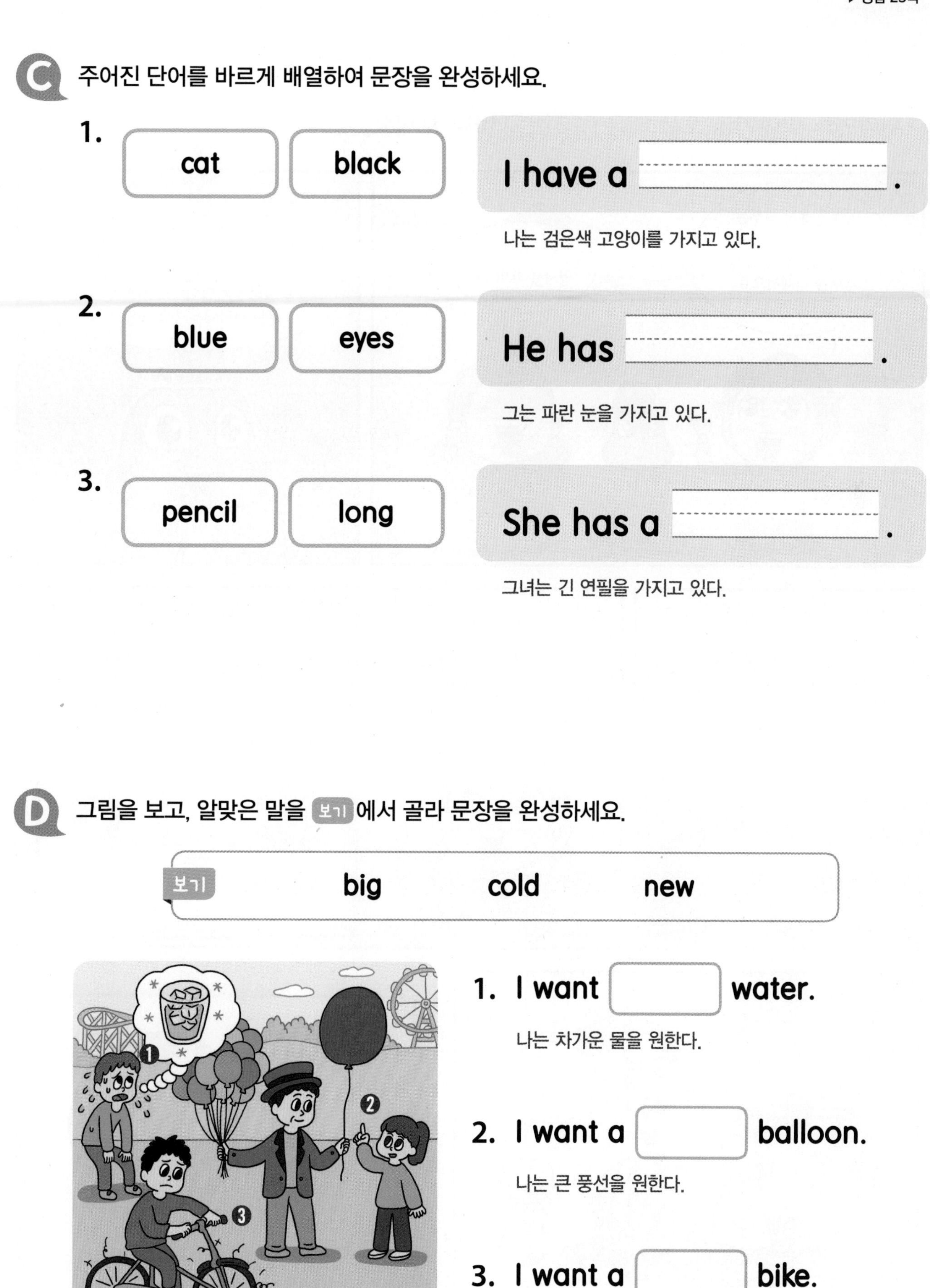

1. I want ______ water.

나는 차가운 물을 원한다.

2. I want a ______ balloon.

나는 큰 풍선을 원한다.

3. I want a ______ bike.

나는 새 자전거를 원한다.

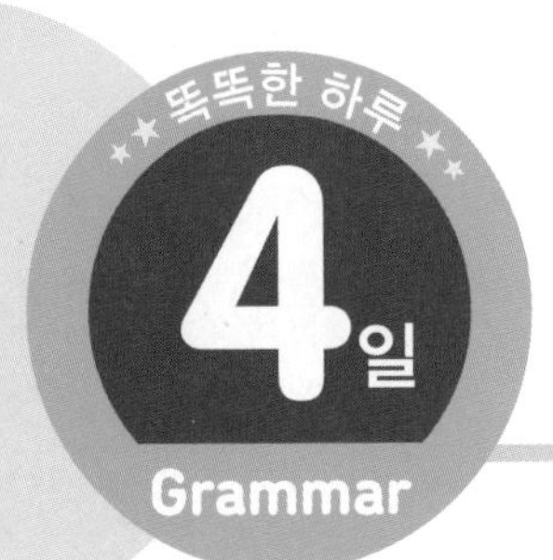

어린 나이가 많은

Young, Old

재미있는 이야기로 오늘 배울 영문법을 만나 보세요.

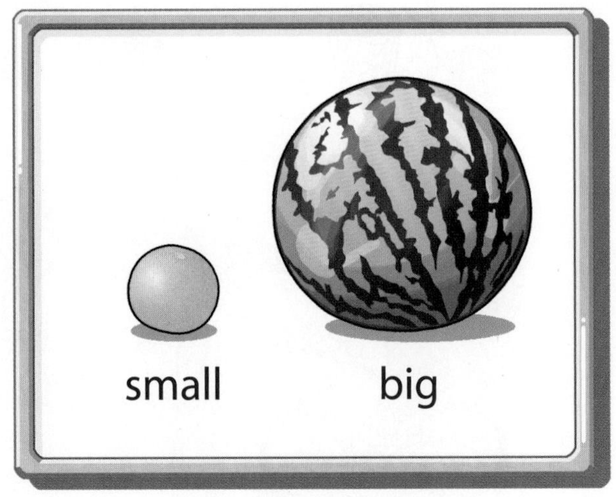

반대되는 뜻을 나타내는
형용사를 알아보자.

오늘은 무엇을 배울까요?

big ↔ **small**
큰 작은

clean ↔ **dirty**
깨끗한 더러운

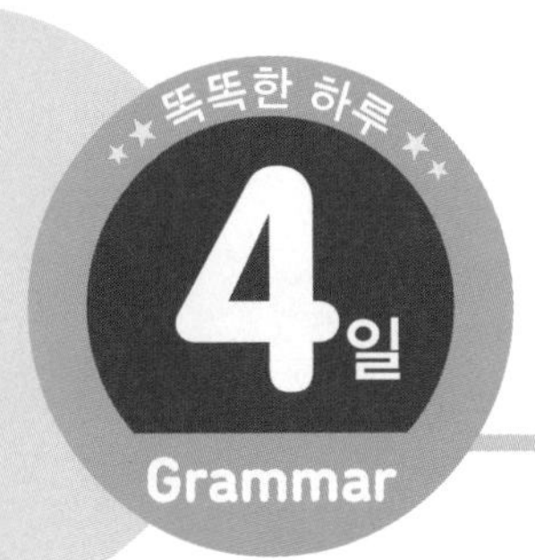

문법 쑥쑥

서로 반대되는 뜻을 나타내는 형용사들을 잘 익혀 둬야 해요.

It is big. ↔ It is small.
그것은 크다. 그것은 작다.

It is dry. ↔ It is wet.
그것은 말랐다. 그것은 젖었다.

반대되는 뜻을 나타내는 형용사

He is short. 그는 / 이다 / 키가 작은.	I am happy. 나는 / 이다 / 행복한.	It is clean. 그것은 / 이다 / 깨끗한.
↕	↕	↕
He is tall. 그는 / 이다 / 키가 큰.	I am sad. 나는 / 이다 / 슬픈.	It is dirty. 그것은 / 이다 / 더러운.

▶정답 25쪽

그림을 보고, 알맞은 말에 동그라미 하세요.

1.

big	small

2.

long	short

3.

cold	hot

4.

clean	dirty

4 주

B 서로 반대되는 뜻을 나타내는 말끼리 연결해 보세요.

1.

fast	happy
•	•
•	•
sad	slow

2.

full	dry
•	•
•	•
wet	hungry

실력 쑥쑥

A 그림을 보고, 알맞은 말을 골라 ✓표 하세요.

1. It is ☐ old ☐ new .

그것은 새 것이다.

2. It has a ☐ short ☐ long tail.

그것은 긴 꼬리를 가지고 있다.

3. I want ☐ cold ☐ hot lemonade.

나는 차가운 레모네이드를 원한다.

B 그림을 보고, 알맞은 말을 골라 문장을 완성하세요.

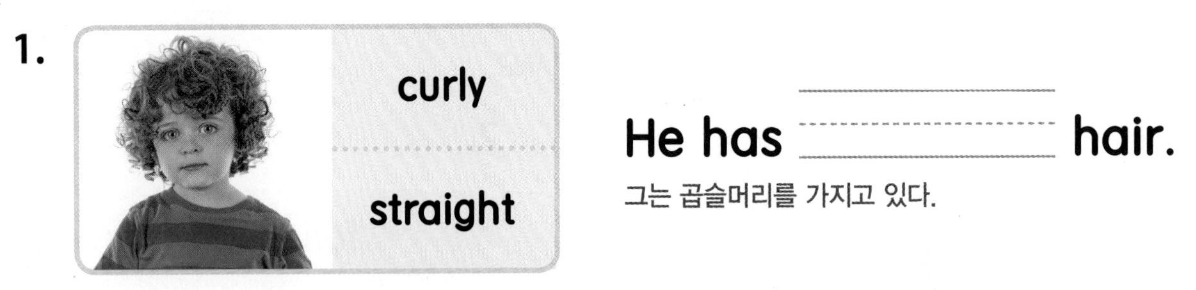

1. curly / straight

He has ______ hair.

그는 곱슬머리를 가지고 있다.

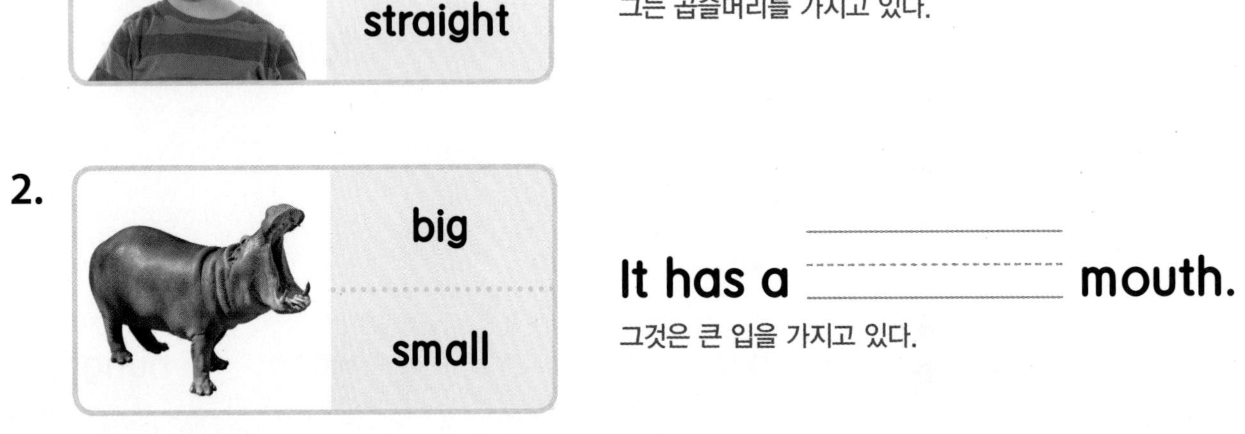

2. big / small

It has a ______ mouth.

그것은 큰 입을 가지고 있다.

▶정답 25쪽

C 주어진 문장을 읽고, 그와 반대되는 뜻을 나타내는 문장을 완성하세요.

1. I am hungry. ↔ I am ______.
   나는 배고프다. / 나는 배부르다.

2. It is dry. ↔ It is ______.
   그것은 말랐다. / 그것은 젖었다.

3. It is clean. ↔ It is ______.
   그것은 깨끗하다. / 그것은 더럽다.

D 그림을 보고, 알맞은 말을 보기에서 골라 문장을 완성하세요.

보기 old short long young

1. She is ______.
   그녀는 나이가 많다.
2. He is ______.
   그는 어리다.
3. It has ______ legs.
   그것은 긴 다리를 가지고 있다.
4. It has ______ legs.
   그것은 짧은 다리를 가지고 있다.

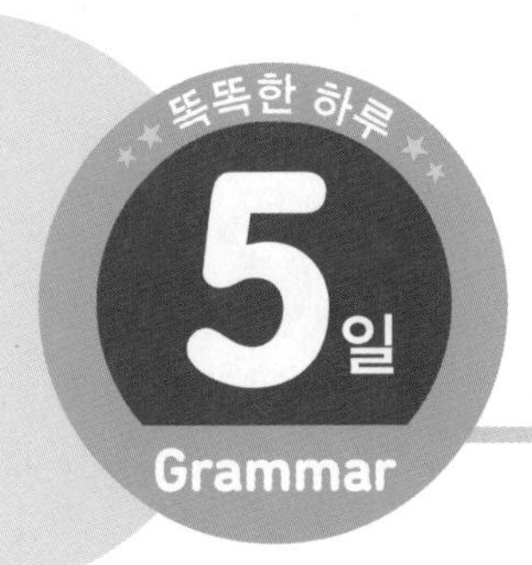

4주 복습

재미있는 이야기로 한 주 동안 배운 내용을 복습해 보세요.

1일

2일

3일

와, 어려운 책을 읽는구나.
He is a smart boy.
형용사 smart가 명사 boy를 꾸며 주고 있어.

형용사는 명사 앞에서 명사를 꾸며 구체적인 의미를 설명할 수 있지.
어쩐지…

4일

형용사는 사람, 사물, 동물의 특징을 나타내는 말이니까 반대 의미를 가진 것들도 많겠지?
long
short

big
small
cold
hot

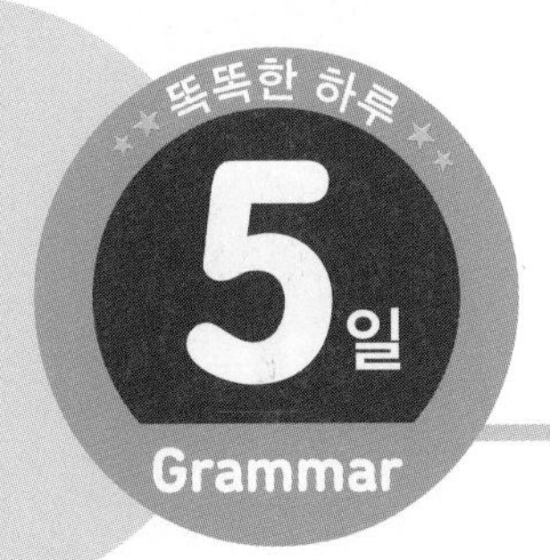

쏙쏙 정리 1

문장을 읽고, 사람이나 사물의 특징을 나타내는 말에 동그라미 하세요.

1.

He is tall.

그는 키가 크다.

2.

I have a new bag.

나는 새 가방을 가지고 있다.

B 알맞은 말을 골라 우리말 뜻과 일치하도록 문장을 완성하세요.

1. ☐ am full ☐ full am

I ________________.

나는 배부르다.

2. ☐ small is ☐ is small

It ________________.

그것은 작다.

▶정답 26쪽

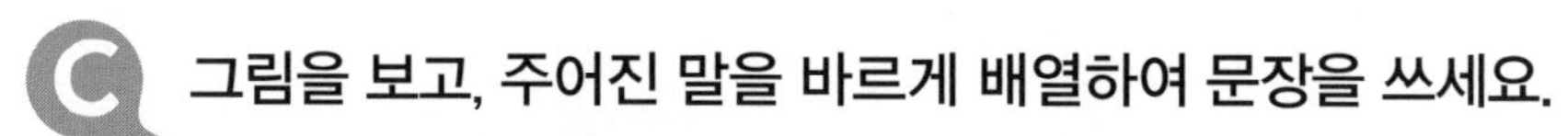

C 그림을 보고, 주어진 말을 바르게 배열하여 문장을 쓰세요.

1.

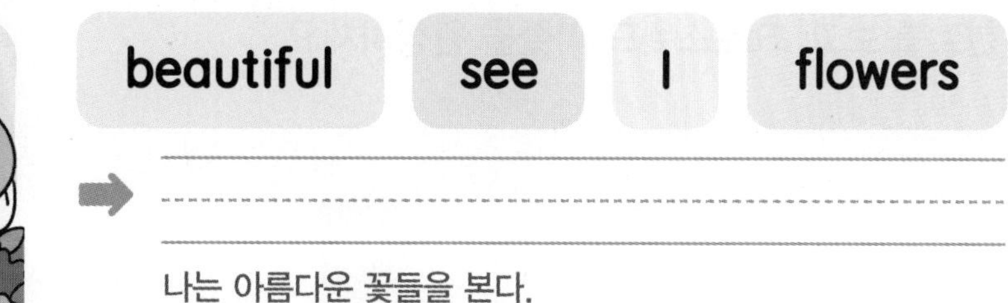

➡ ______

나는 아름다운 꽃들을 본다.

2.

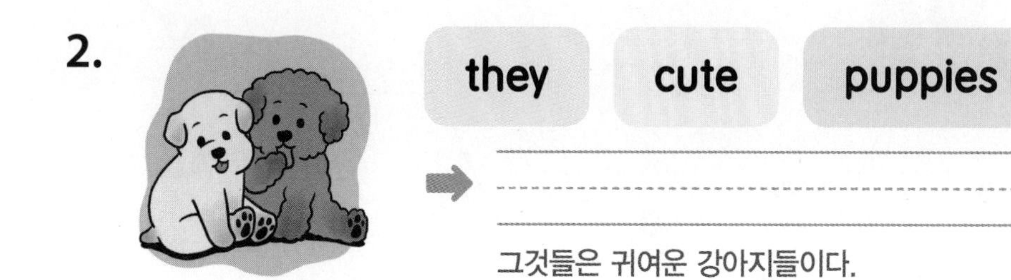

➡ ______

그것들은 귀여운 강아지들이다.

4주

D 밑줄 친 부분을 바르게 고쳐 문장을 다시 쓰세요.

1. He kind is. 그는 친절하다.

➡ ______

2. I have balls blue. 나는 파란색 공들을 가지고 있다.

➡ ______

3. It is a apple fresh. 그것은 신선한 사과이다.

➡ ______

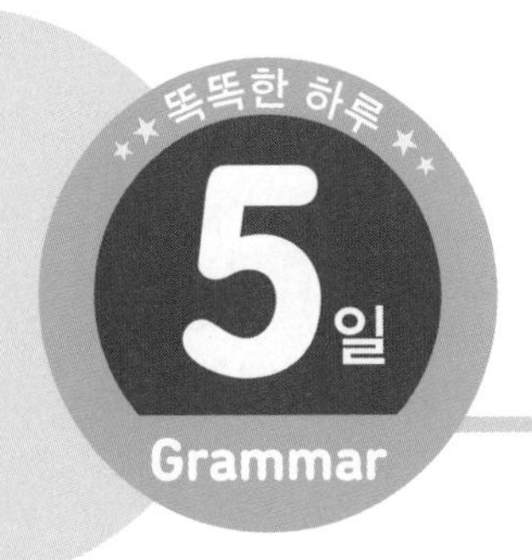

쏙쏙 정리 ❷

A 그림과 힌트를 보고, 크로스워드 퍼즐을 완성하세요.

힌트

가로

❸ He is ____________.
그는 키가 크다.

❺ It is ____________.
그것은 무겁다.

세로

❶ I am ____________.
나는 행복하다

❷ I have a ____________ cat.
나는 귀여운 고양이 한 마리를 가지고 있다.

❹ It is ____________.
그것은 길다.

▶정답 26쪽

B 주어진 말과 반대되는 뜻을 가진 말을 찾아 쓰고 '출발'에서부터 '도착'까지의 길을 표시하세요.

1. big ↔ [ ]
2. cold ↔ [ ]
3. light ↔ [ ]
4. young ↔ [ ]
5. clean ↔ [ ]
6. sad ↔ [ ]

출발	pretty	new	big	cold
small	yellow	green	angry	kind
red	hot	heavy	old	black
slow	fast	full	dirty	busy
cute	long	rainy	tall	happy
hot	strong	beautiful	sad	도착

4주 누구나 100점 TEST

1 그림에 알맞은 말을 고르세요.

① long

② fast

③ cute

④ clean

2 그림과 단어가 일치하지 <u>않는</u> 것을 고르세요.

① 

old

② 

hungry

③ 

sad

④ 

slow

3 그림을 보고, 문장의 빈칸에 알맞은 말을 고르세요.

It is a ________ dog.

그것은 똑똑한 개이다.

① fat

② slow

③ new

④ smart

4 빈칸에 들어갈 수 없는 말을 고르세요.

I have a ________ table.

① red

② new

③ big

④ make

맞은 개수 /8개

▶정답 27쪽

5 서로 반대되는 뜻을 나타내는 말끼리 짝 지어지지 않은 것을 고르세요.

① long – short

② hot – cold

③ big – small

④ old – kind

6 그림을 보고, 두 빈칸에 공통으로 알맞은 말을 고르세요.

• I see ________ flowers.
• They are ________.

① busy

② cold

③ heavy

④ beautiful

7 그림을 보고, 알맞은 문장의 기호를 쓰세요.

ⓐ It is long.
ⓑ I want a new car.

(1) (2)

8 그림을 보고, 주어진 말을 바르게 배열하여 문장을 완성하세요.

I ____________________.
(want / candies / sweet)

4주

Brain Game Zone

배운 내용을 떠올리며 말판 놀이를 해 보세요.

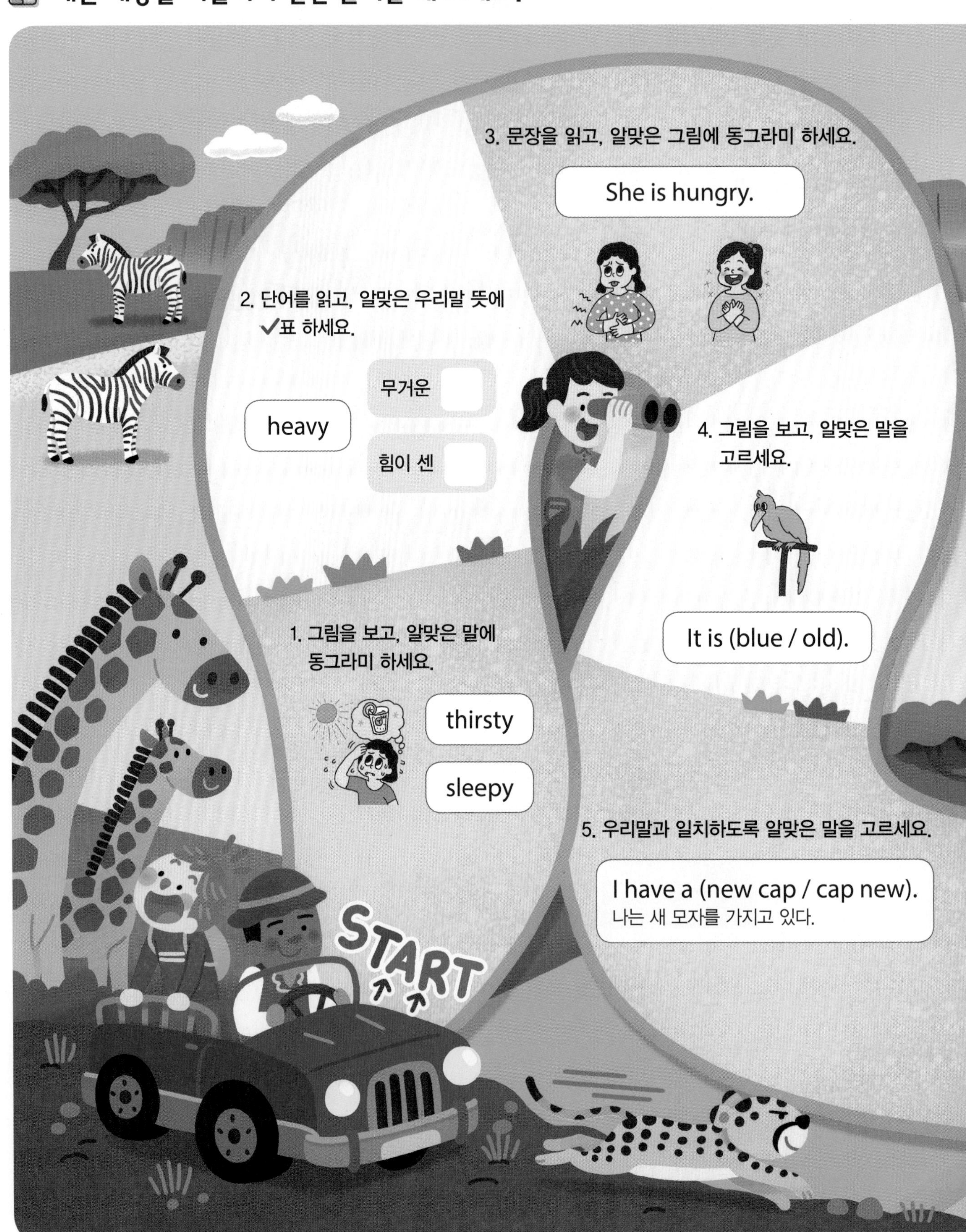

3. 문장을 읽고, 알맞은 그림에 동그라미 하세요.
She is hungry.
2. 단어를 읽고, 알맞은 우리말 뜻에 ✓표 하세요.
heavy
무거운
힘이 센
4. 그림을 보고, 알맞은 말을 고르세요.
It is (blue / old).
1. 그림을 보고, 알맞은 말에 동그라미 하세요.
thirsty
sleepy
5. 우리말과 일치하도록 알맞은 말을 고르세요.
I have a (new cap / cap new).
나는 새 모자를 가지고 있다.
START

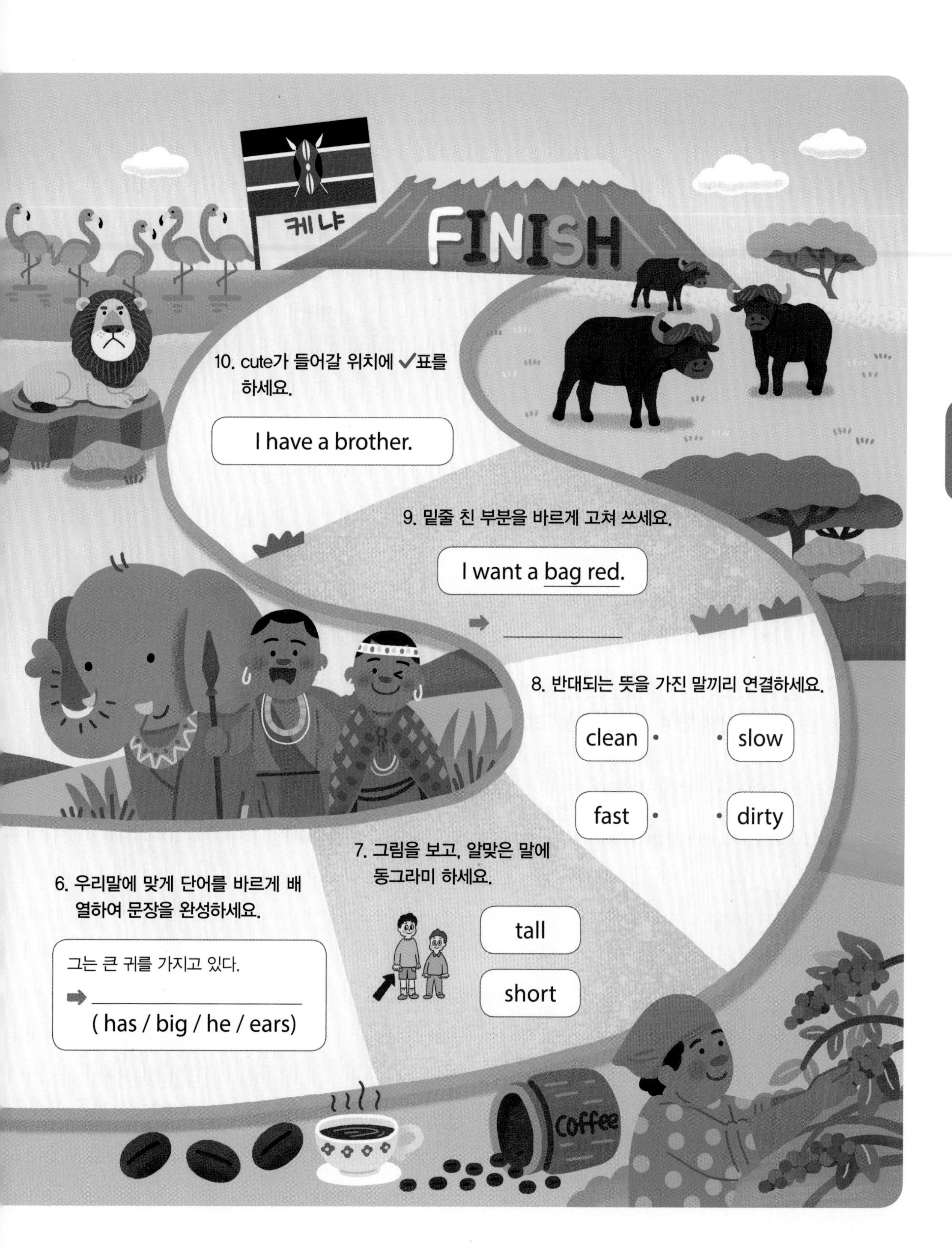

6. 우리말에 맞게 단어를 바르게 배열하여 문장을 완성하세요.

그는 큰 귀를 가지고 있다.

➡ ______________________

(has / big / he / ears)

7. 그림을 보고, 알맞은 말에 동그라미 하세요.

tall

short

8. 반대되는 뜻을 가진 말끼리 연결하세요.

clean • • slow

fast • • dirty

9. 밑줄 친 부분을 바르게 고쳐 쓰세요.

I want a <u>bag red</u>.

➡ ______________

10. cute가 들어갈 위치에 ✓표를 하세요.

I have a brother.

4 주

A 나윤이가 메모지에 주스를 쏟아 단어의 일부가 지워졌어요. 단서 를 참고하여 지워진 글자를 찾아 단어를 쓰고, 읽어 보세요.

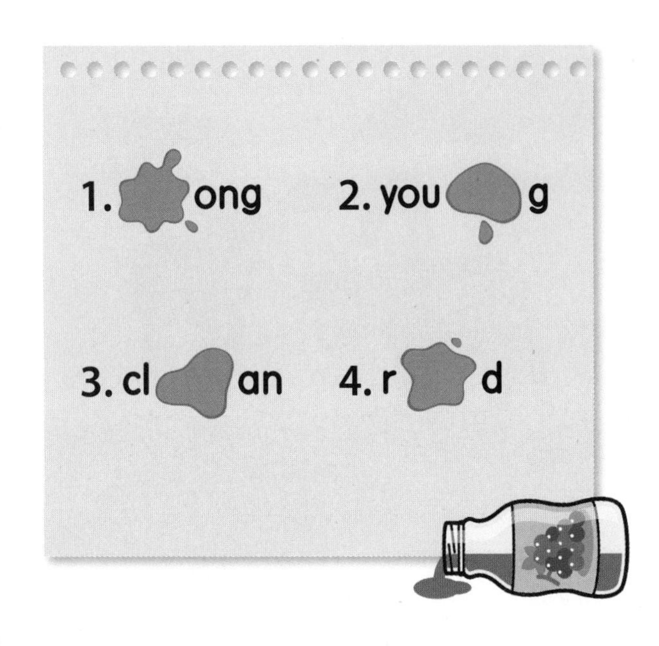

1. ____________ 2. ____________

3. ____________ 4. ____________

B 다람쥐가 흩어진 단어들을 연결해야 해요. 사다리를 타고 내려가 반대되는 뜻을 나타내는 말끼리 연결할 수 있도록 사다리에 가로선을 그어 보세요.

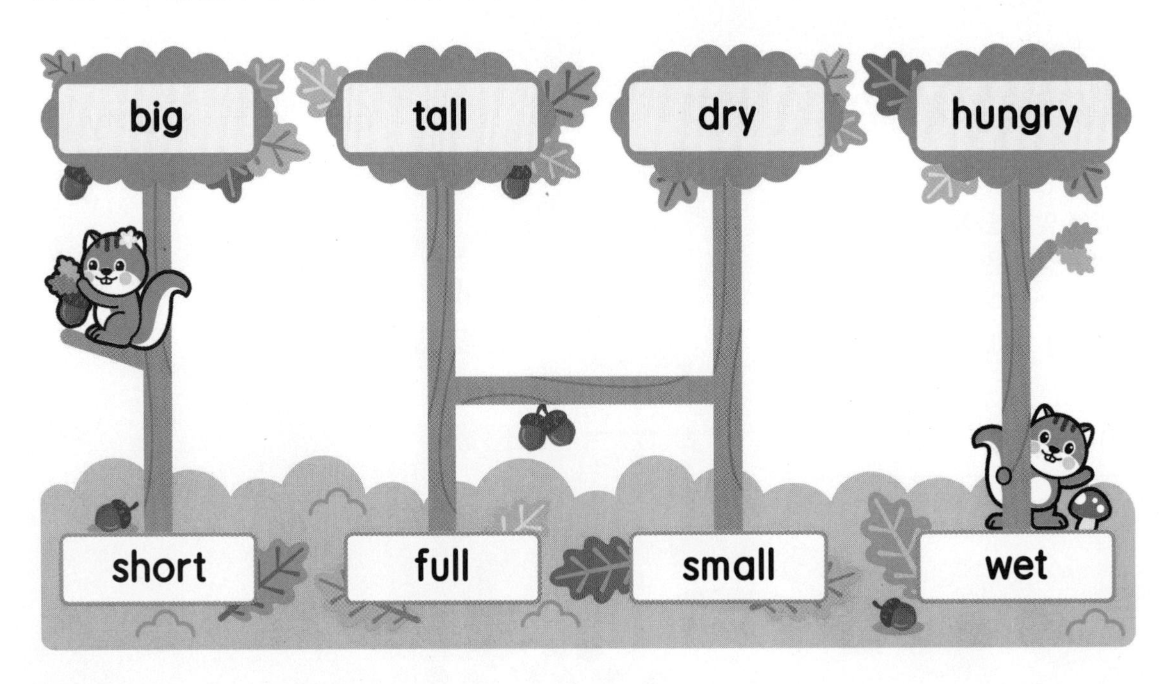

정답 28쪽

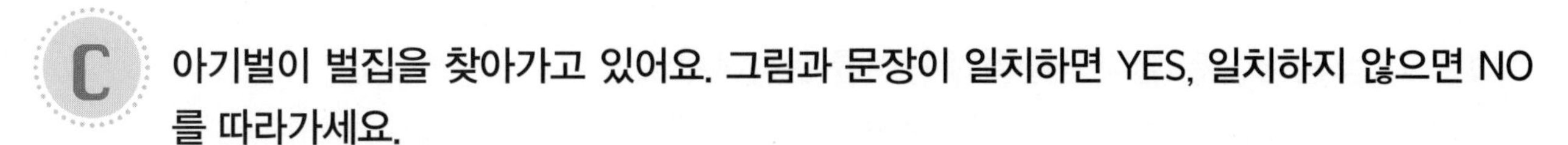

C 아기벌이 벌집을 찾아가고 있어요. 그림과 문장이 일치하면 YES, 일치하지 않으면 NO를 따라가세요.

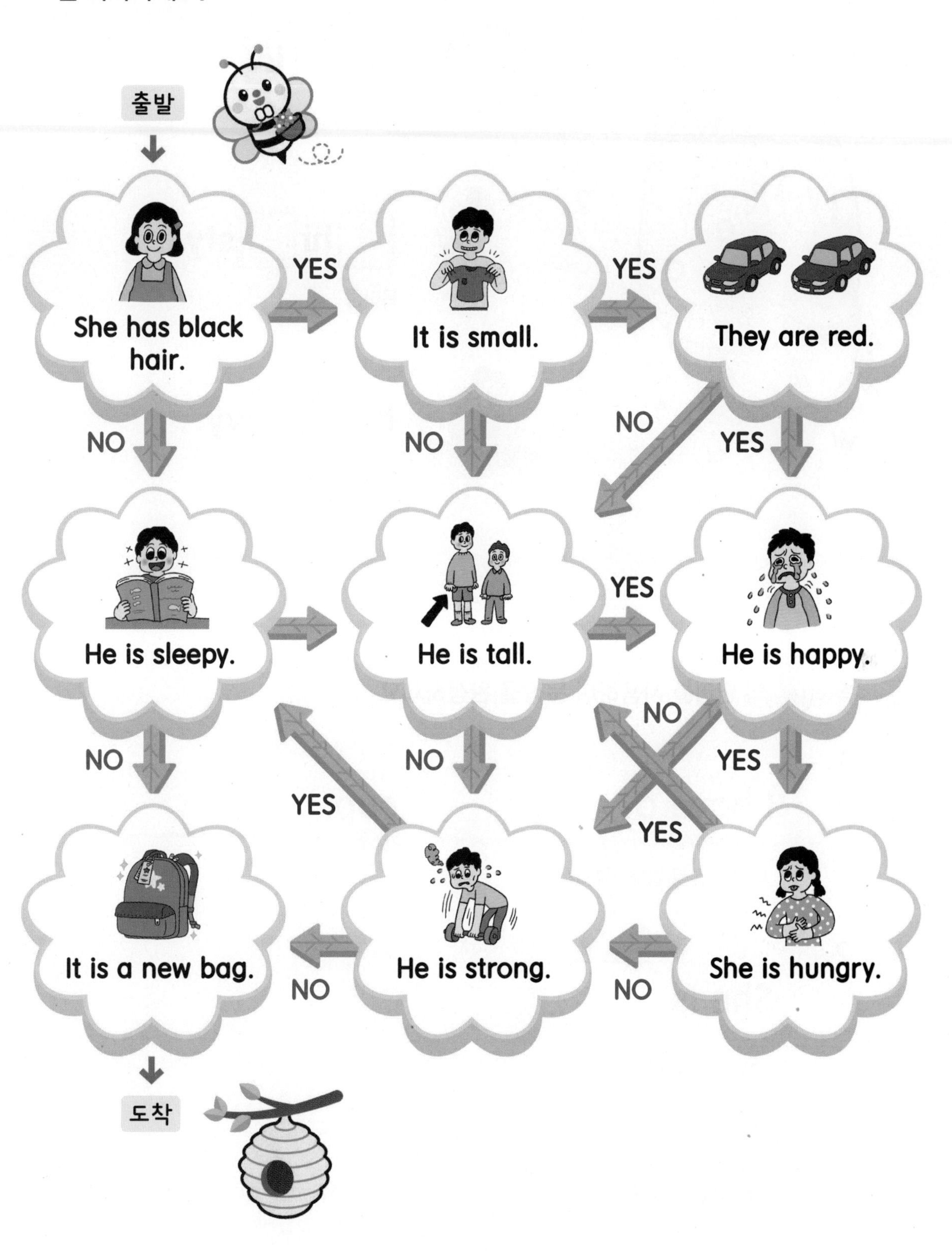

4 주

Step A 다음 중 알맞은 알파벳을 골라 단어를 완성하세요.

1. ye☐lo☐
노란색의

2. ☐hi☐sty
목마른

3. h☐☐vy
무거운

Step B Step A 의 단어를 사용하여 문장을 완성하세요.

1. I have a ____________ cup.
나는 노란색 컵을 가지고 있다.

2. She is ____________.
그녀는 목이 마르다.

3. They are ____________.
그것들은 무겁다.

Step C 힌트 를 참고하여 거울에 비친 단어를 바르게 써서 문장을 쓰세요.

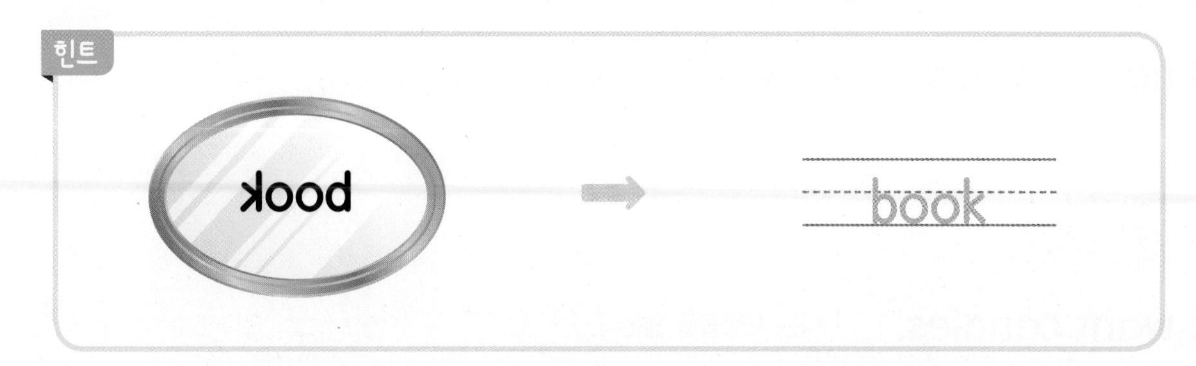

1.

He is .

그는 바쁘다.

2.

I want a candy.

나는 달콤한 사탕을 원한다.

3.

She is .

그녀는 슬프다.

4.

I drink tea.

나는 뜨거운 차를 마신다.

문법 예문

배운 문법이 있는 문장을 읽어 보세요.

1주 1일

I have a dog. 나는 개 한 마리를 가지고 있다.

I have an egg. 나는 달걀 한 개를 가지고 있다.

1주 2일

I want candies. 나는 사탕들을 원한다.

I see two wolves. 나는 늑대 두 마리를 본다.

1주 3일

I have two feet. 나는 발이 두 개 있다.

I see three mice. 나는 쥐 세 마리를 본다.

They are children. 그들은 어린이들이다.

1주 4일

There is a cat. 고양이 한 마리가 있다.

There are three carrots. 당근 세 개가 있다.

2주 1일

I am a dancer. 나는 무용수이다.

He is tall. 그는 키가 크다.

They are bananas. 그것들은 바나나들이다.

2주 2일

I am not strong. 나는 힘이 세지 않다.

It is not a ball. 그것은 공이 아니다.

We are not pilots. 우리는 비행기 조종사들이 아니다.

2주 3일

Are you angry? 너는 화가 났니?

Is he a nurse? 그는 간호사니?

Are they ducks? 그것들은 오리들이니?

2주 4일

Are you a student? 너는 학생이니?

– Yes, I am. 응, 그래. / No, I am not. 아니, 그렇지 않아.

Is it his book? 그것은 그의 책이니?

– Yes, it is. 응, 그래. / No, it isn't. 아니, 그렇지 않아.

문법 예문

배운 문법이 있는 문장을 읽어 보세요.

3주 1일

She cleans her room. 그녀는 그녀의 방을 청소한다.

He teaches English. 그는 영어를 가르친다.

3주 2일

I do not watch TV. 나는 TV를 보지 않는다.

He does not have a pen. 그는 펜을 가지고 있지 않다.

3주 3일

Do you ride a bike? 너는 자전거를 타니?

Does he play tennis? 그는 테니스를 치니?

3주 4일

Do you want water? 너는 물을 원하니?

– Yes, I do. 응, 그래. / No, I don't. 아니, 그렇지 않아.

Does he like cats? 그는 고양이를 좋아하니?

– Yes, he does. 응, 그래. / No, he doesn't. 아니, 그렇지 않아.

4주 1일

clean	깨끗한	happy	행복한	long	긴
sleepy	졸린	sweet	달콤한	sunny	화창한
fat	뚱뚱한	slow	느린	kind	친절한

4주 2일

I am happy. 나는 행복하다.

He is cute. 그는 귀엽다.

It is small. 그것은 작다.

4주 3일

I want cold **water.** 나는 차가운 물을 원한다.

He has blue **eyes.** 그는 파란 눈을 가지고 있다.

I have long **hair.** 나는 긴 머리카락을 가지고 있다.

4주 4일

I am hungry. 나는 배고프다. ↔ **I am** full. 나는 배부르다.

She is tall. 그녀는 키가 크다. ↔ **She is** short. 그녀는 키가 작다.

memo

힘이 되는 좋은 말

친절한 말은 아주 짧기 때문에
말하기가 쉽다.

하지만 그 말의 메아리는 무궁무진하게
울려 퍼지는 법이다.

Kind words can be short and easy to speak,
but their echoes are truly endless.

테레사 수녀

친절한 말, 따뜻한 말 한마디는 누군가에게 커다란 힘이 될 수도 있어요.
나쁜 말 대신 좋은 말을 하게 되면 언젠가 나에게 보답으로 돌아온답니다.
앞으로 나쁘고 거친 말 대신 좋고 예쁜 말만 쓰기로 우리 약속해요!

뭘 좋아할지 몰라 다 준비했어♥ # 전과목 교재

전과목 시리즈 교재

●무듬샘 해법시리즈
- 국어/수학 1~6학년, 학기용
- 사회/과학 3~6학년, 학기용
- 봄·여름/가을·겨울 1~2학년, 학기용
- SET(전과목/국수, 국사과) 1~6학년, 학기용

●무듬샘 전과
- 국어/수학/봄·여름(1학기)/가을·겨울(2학기) 1~2학년, 학기용
- 국어/수학/사회/과학 3~6학년, 학기용

●똑똑한 하루 시리즈
- 똑똑한 하루 독해 예비초~6학년, 총 14권
- 똑똑한 하루 글쓰기 예비초~6학년, 총 14권
- 똑똑한 하루 어휘 예비초~6학년, 총 14권
- 똑똑한 하루 수학 1~6학년, 학기용
- 똑똑한 하루 계산 1~6학년, 학기용
- 똑똑한 하루 사고력 1~6학년, 학기용
- 똑똑한 하루 도형 1~6단계, 총 6권
- 똑똑한 하루 사회/과학 3~6학년, 학기용
- 똑똑한 하루 Voca 3~6학년, 학기용
- 똑똑한 하루 Reading 초3~초6, 학기용
- 똑똑한 하루 Grammar 초3~초6, 학기용
- 똑똑한 하루 Phonics 예비초~초등, 총 8권

영어 교재

●초등영어 교과서 시리즈
- 파닉스(1~4단계) 3~6학년, 학년용
- 회화(입문1~2, 1~6단계) 3~6학년, 학기용
- 영단어(1~4단계) 3~6학년, 학년용

●셀파 English(어휘/회화/문법) 3~6학년

●Reading Farm(Level 1~4) 3~6학년

●Grammar Town(Level 1~4) 3~6학년

●LOOK BOOK 영단어 3~6학년, 단행본

●원서 읽는 LOOK BOOK 영단어 3~6학년, 단행본

●멘토 Story Words 2~6학년, 총 6권

매일매일
쌓이는
영어 기초력

똑 똑 한

하루 Grammar

정답

4학년 영어

2A

천재교육

book.chunjae.co.kr

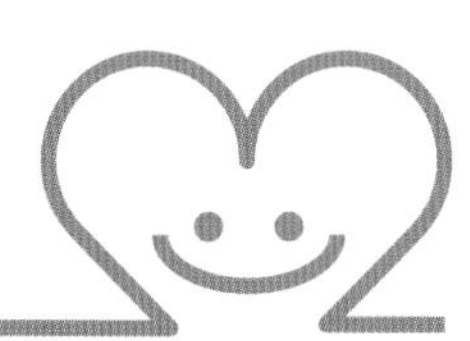

똑똑한 하루

Grammar 정답

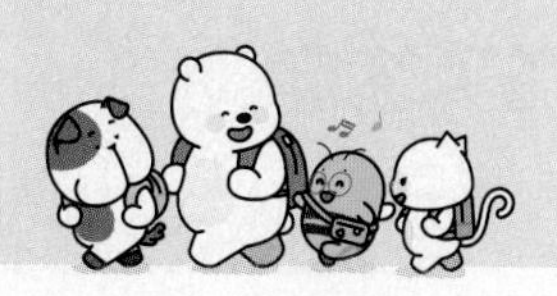

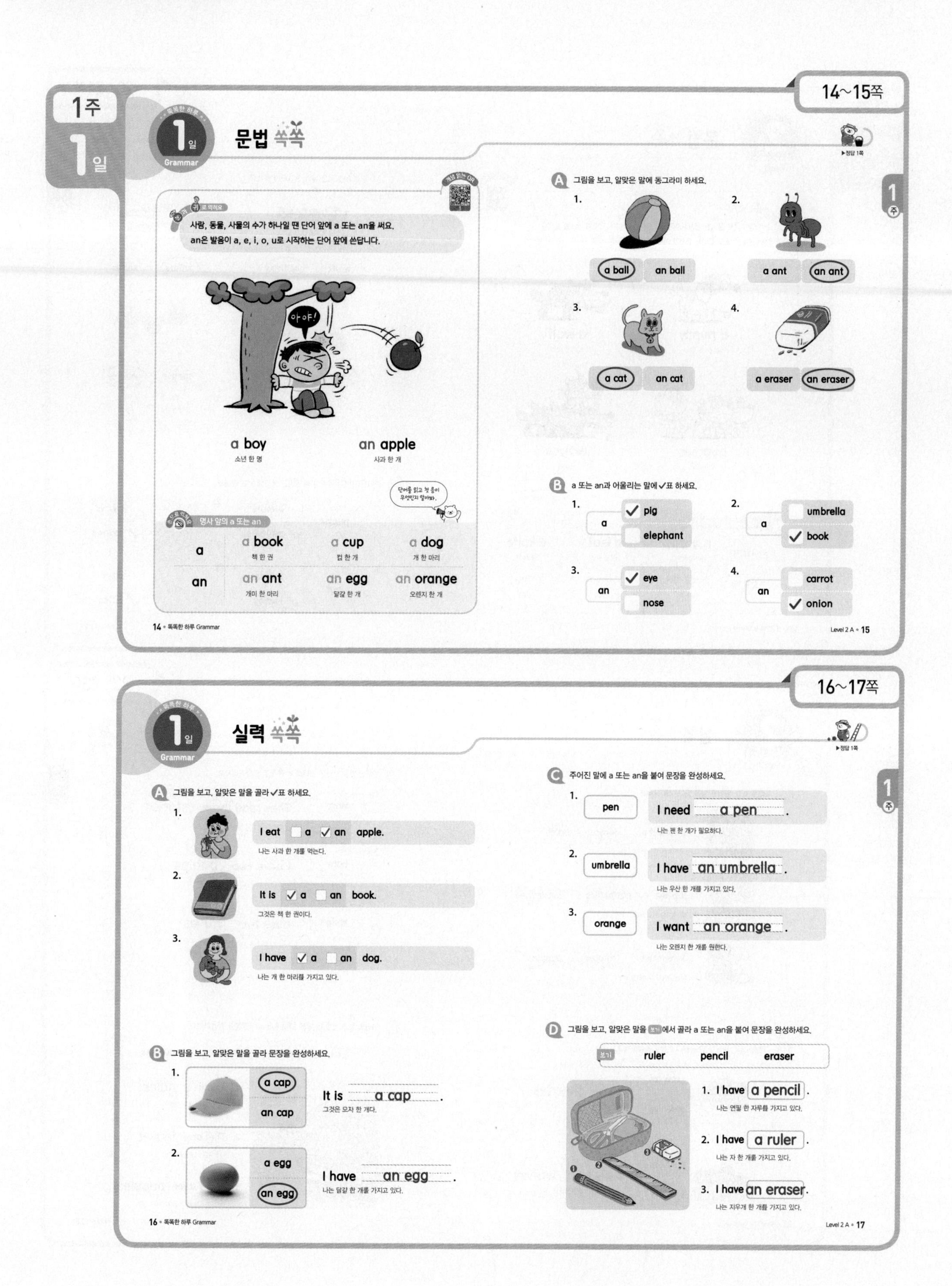

14~15쪽

1주 1일

1일 Grammar

문법 쏙쏙

사람, 동물, 사물의 수가 하나일 땐 단어 앞에 a 또는 an을 써요.
an은 발음이 a, e, i, o, u로 시작하는 단어 앞에 쓴답니다.

a boy
소년 한 명

an apple
사과 한 개

명사 앞의 a 또는 an

a	a book 책 한 권	a cup 컵 한 개	a dog 개 한 마리
an	an ant 개미 한 마리	an egg 달걀 한 개	an orange 오렌지 한 개

14 • 똑똑한 하루 Grammar

▶정답 1쪽

A 그림을 보고, 알맞은 말에 동그라미 하세요.

1. (a ball) an ball
2. a ant (an ant)
3. (a cat) an cat
4. a eraser (an eraser)

B a 또는 an과 어울리는 말에 ✓표 하세요.

1. a — ✓ pig / elephant
2. a — umbrella / ✓ book
3. an — ✓ eye / nose
4. an — carrot / ✓ onion

Level 2 A • 15

16~17쪽

1일 Grammar

실력 쏙쏙

▶정답 1쪽

A 그림을 보고, 알맞은 말을 골라 ✓표 하세요.

1. I eat □ a ✓ an apple.
나는 사과 한 개를 먹는다.
2. It is ✓ a □ an book.
그것은 책 한 권이다.
3. I have ✓ a □ an dog.
나는 개 한 마리를 가지고 있다.

B 그림을 보고, 알맞은 말을 골라 문장을 완성하세요.

1. (a cap) / an cap — It is a cap.
그것은 모자 한 개다.
2. a egg / (an egg) — I have an egg.
나는 달걀 한 개를 가지고 있다.

16 • 똑똑한 하루 Grammar

C 주어진 말에 a 또는 an을 붙여 문장을 완성하세요.

1. pen — I need a pen.
나는 펜 한 개가 필요하다.
2. umbrella — I have an umbrella.
나는 우산 한 개를 가지고 있다.
3. orange — I want an orange.
나는 오렌지 한 개를 원한다.

D 그림을 보고, 알맞은 말을 보기에서 골라 a 또는 an을 붙여 문장을 완성하세요.

보기 ruler pencil eraser

1. I have a pencil.
나는 연필 한 자루를 가지고 있다.
2. I have a ruler.
나는 자 한 개를 가지고 있다.
3. I have an eraser.
나는 지우개 한 개를 가지고 있다.

Level 2 A • 17

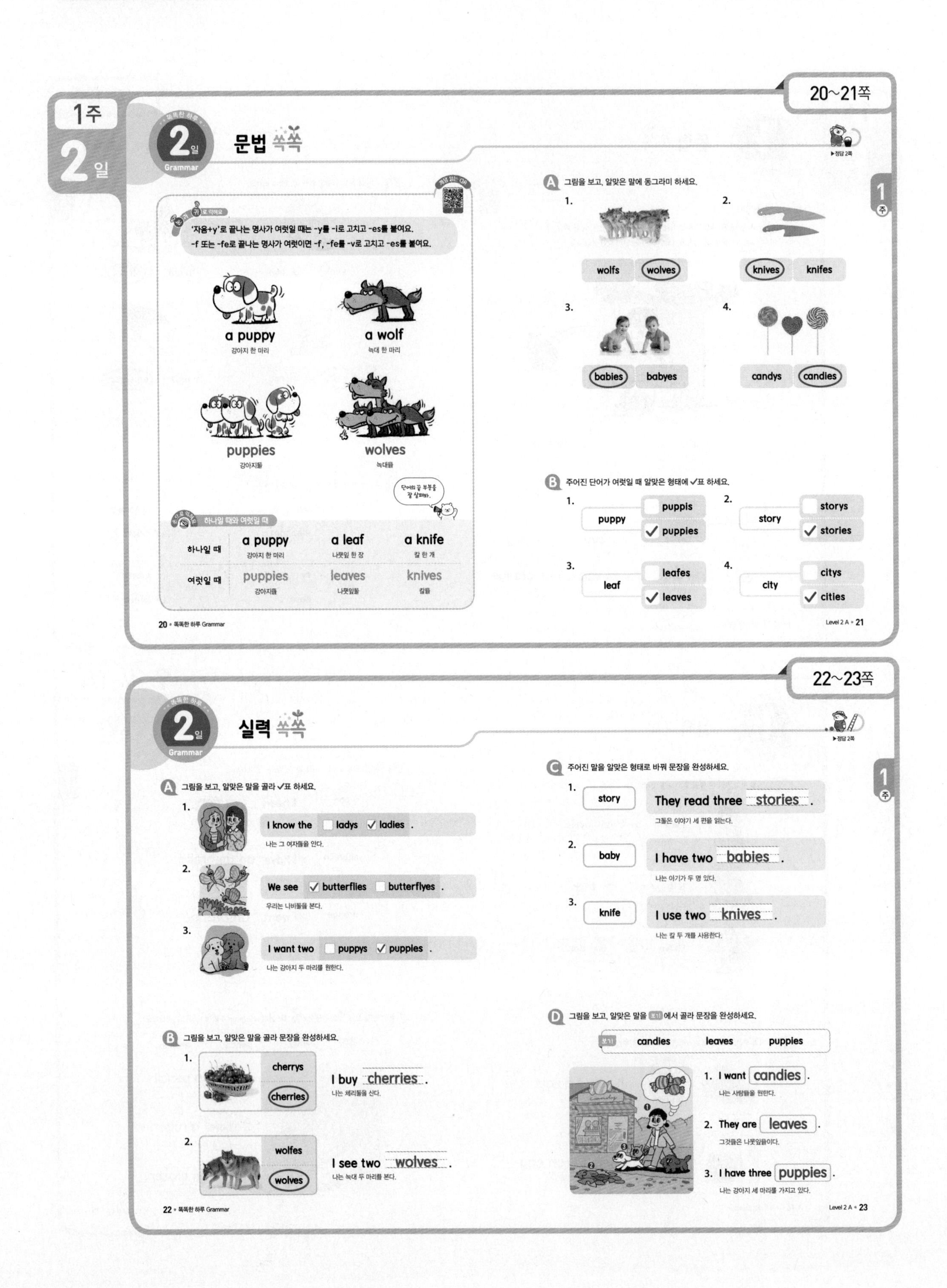

20~21쪽

1주 2일

2일 Grammar 문법 쏙쏙

'자음+y'로 끝나는 명사가 여럿일 때는 -y를 -i로 고치고 -es를 붙여요.
-f 또는 -fe로 끝나는 명사가 여럿이면 -f, -fe를 -v로 고치고 -es를 붙여요.

a puppy 강아지 한 마리
a wolf 늑대 한 마리
puppies 강아지들
wolves 늑대들

하나일 때와 여럿일 때

하나일 때	a puppy 강아지 한 마리	a leaf 나뭇잎 한 장	a knife 칼 한 개
여럿일 때	puppies 강아지들	leaves 나뭇잎들	knives 칼들

20 • 똑똑한 하루 Grammar

A 그림을 보고, 알맞은 말에 동그라미 하세요.

1. wolfs (wolves)
2. (knives) knifes
3. (babies) babyes
4. candys (candies)

B 주어진 단어가 여럿일 때 알맞은 형태에 ✓표 하세요.

1. puppy — puppis / ✓ puppies
2. story — storys / ✓ stories
3. leaf — leafes / ✓ leaves
4. city — citys / ✓ cities

Level 2 A • 21

22~23쪽

2일 Grammar 실력 쏙쏙

A 그림을 보고, 알맞은 말을 골라 ✓표 하세요.

1. I know the ☐ ladys ✓ ladies . 나는 그 여자들을 안다.
2. We see ✓ butterflies ☐ butterflyes . 우리는 나비들을 본다.
3. I want two ☐ puppys ✓ puppies . 나는 강아지 두 마리를 원한다.

B 그림을 보고, 알맞은 말을 골라 문장을 완성하세요.

1. cherrys / (cherries) — I buy cherries . 나는 체리들을 산다.
2. wolfes / (wolves) — I see two wolves . 나는 늑대 두 마리를 본다.

22 • 똑똑한 하루 Grammar

C 주어진 말을 알맞은 형태로 바꿔 문장을 완성하세요.

1. story — They read three stories . 그들은 이야기 세 편을 읽는다.
2. baby — I have two babies . 나는 아기가 두 명 있다.
3. knife — I use two knives . 나는 칼 두 개를 사용한다.

D 그림을 보고, 알맞은 말을 보기에서 골라 문장을 완성하세요.

보기 candies leaves puppies

1. I want candies . 나는 사탕들을 원한다.
2. They are leaves . 그것들은 나뭇잎들이다.
3. I have three puppies . 나는 강아지 세 마리를 가지고 있다.

Level 2 A • 23

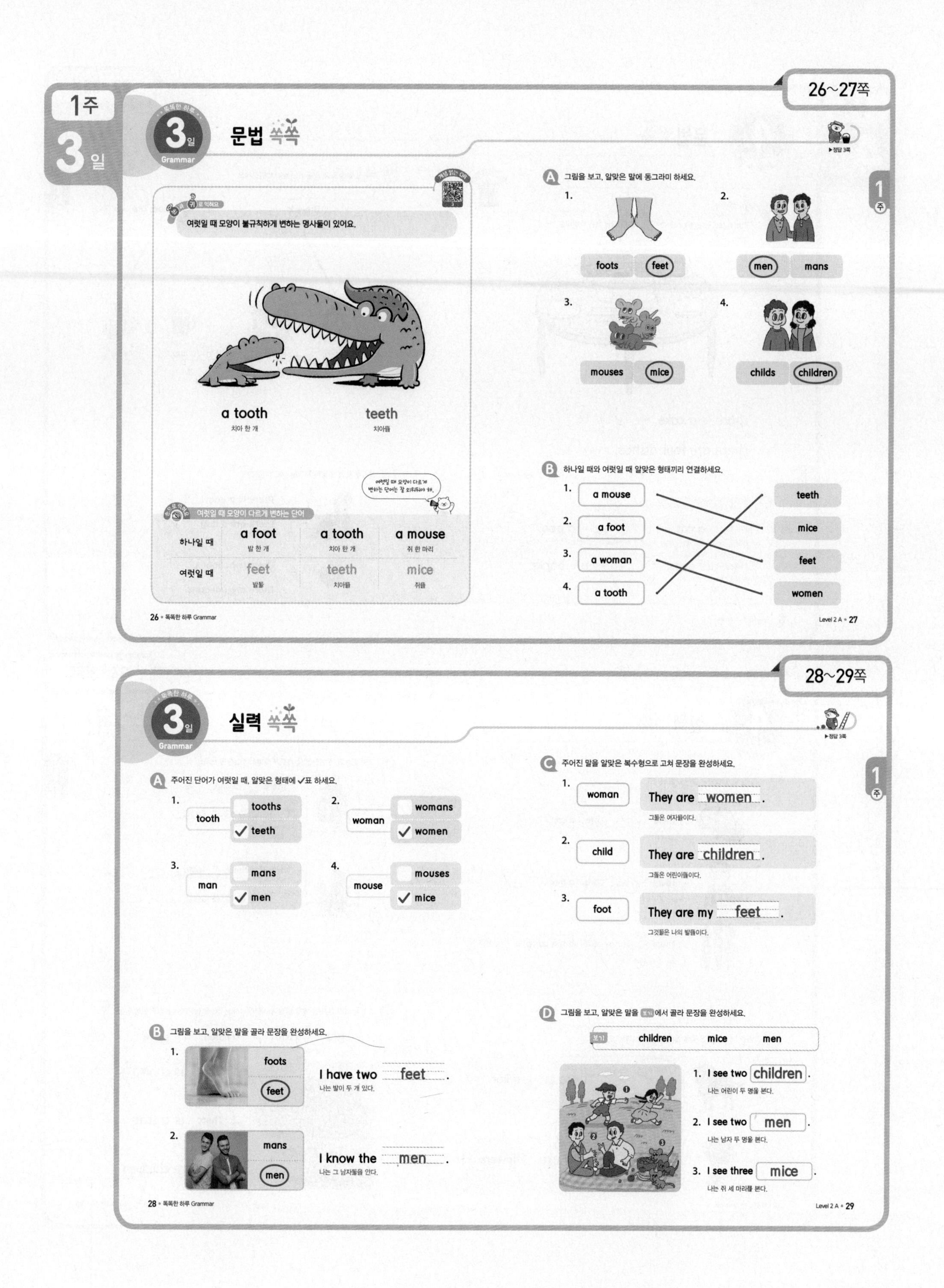

1주 3일

26~27쪽

3일 Grammar

문법 쏙쏙

여럿일 때 모양이 불규칙하게 변하는 명사들이 있어요.

a tooth
치아 한 개

teeth
치아들

여럿일 때 모양이 다르게 변하는 단어

	a foot	a tooth	a mouse
하나일 때	발 한 개	치아 한 개	쥐 한 마리
여럿일 때	feet 발들	teeth 치아들	mice 쥐들

A 그림을 보고, 알맞은 말에 동그라미 하세요.

1. foots / (feet)
2. (men) / mans
3. mouses / (mice)
4. childs / (children)

B 하나일 때와 여럿일 때 알맞은 형태끼리 연결하세요.

1. a mouse — mice
2. a foot — feet
3. a woman — women
4. a tooth — teeth

26 • 똑똑한 하루 Grammar

Level 2 A • 27

28~29쪽

3일 Grammar

실력 쏙쏙

A 주어진 단어가 여럿일 때, 알맞은 형태에 ✓표 하세요.

1. tooth — tooths / ✓ teeth
2. woman — womans / ✓ women
3. man — mans / ✓ men
4. mouse — mouses / ✓ mice

B 그림을 보고, 알맞은 말을 골라 문장을 완성하세요.

1. foots / (feet) — I have two feet.
나는 발이 두 개 있다.
2. mans / (men) — I know the men.
나는 그 남자들을 안다.

C 주어진 말을 알맞은 복수형으로 고쳐 문장을 완성하세요.

1. woman — They are women.
그들은 여자들이다.
2. child — They are children.
그들은 어린이들이다.
3. foot — They are my feet.
그것들은 나의 발들이다.

D 그림을 보고, 알맞은 말을 보기에서 골라 문장을 완성하세요.

보기 children mice men

1. I see two children.
나는 어린이 두 명을 본다.
2. I see two men.
나는 남자 두 명을 본다.
3. I see three mice.
나는 쥐 세 마리를 본다.

28 • 똑똑한 하루 Grammar

Level 2 A • 29

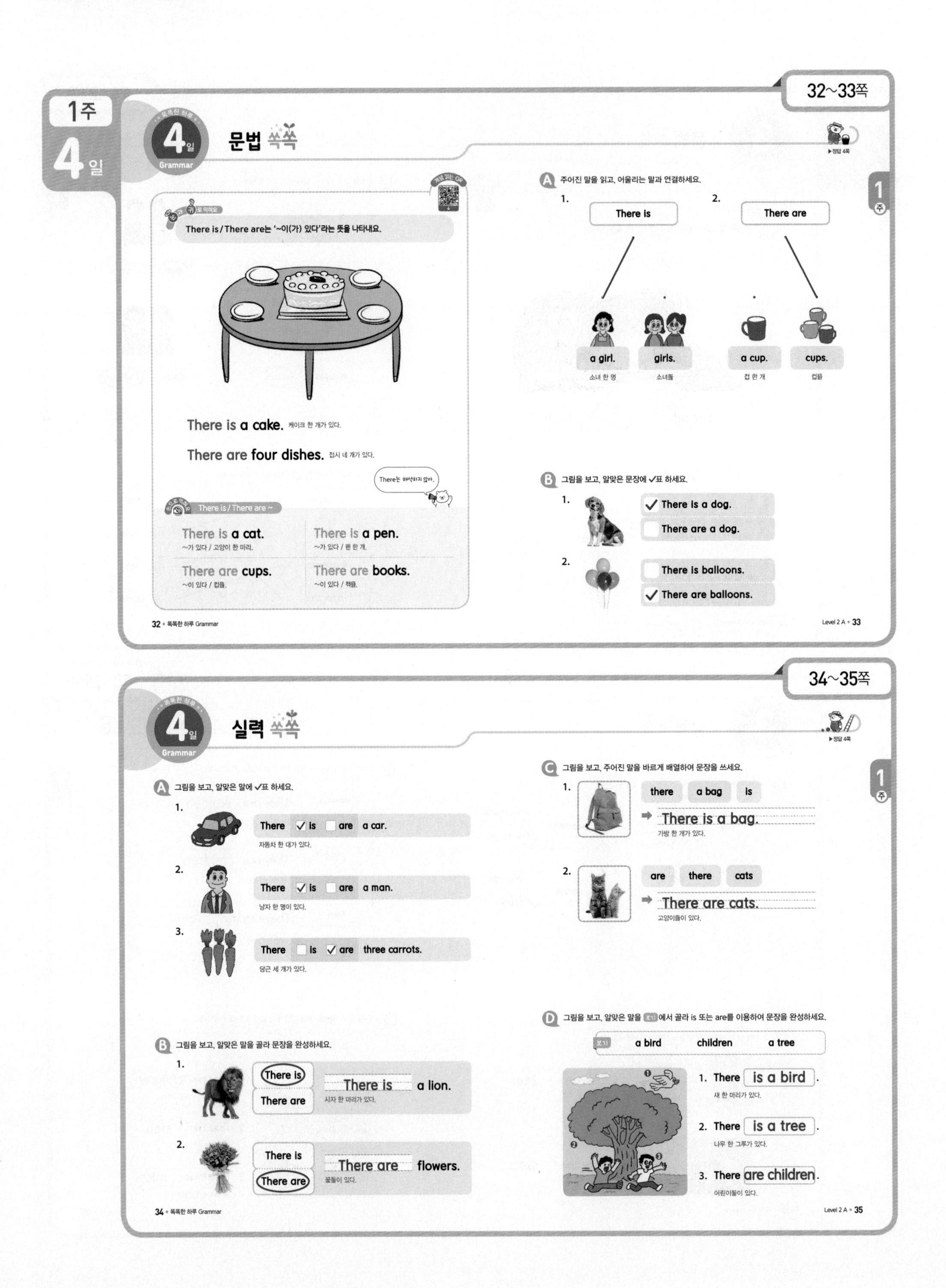

1주 4일

32~33쪽

4일 Grammar 문법 쏙쏙

▶정답 4쪽

There is / There are는 '~이(가) 있다'라는 뜻을 나타내요.

There is a cake. 케이크 한 개가 있다.

There are four dishes. 접시 네 개가 있다.

There는 해석하지 않아.

There is / There are ~

There is a cat. ~가 있다 / 고양이 한 마리.

There is a pen. ~가 있다 / 펜 한 개.

There are cups. ~이 있다 / 컵들.

There are books. ~이 있다 / 책들.

A 주어진 말을 읽고, 어울리는 말과 연결하세요.

1. There is — a girl. 소녀 한 명

2. There are — cups. 컵들

(girls. 소녀들 / a cup. 컵 한 개)

B 그림을 보고, 알맞은 문장에 ✓표 하세요.

1. ✓ There is a dog. / There are a dog.

2. There is balloons. / ✓ There are balloons.

32 • 똑똑한 하루 Grammar

Level 2 A • 33

34~35쪽

4일 Grammar 실력 쑥쑥

▶정답 4쪽

A 그림을 보고, 알맞은 말에 ✓표 하세요.

1. There ✓is are a car. 자동차 한 대가 있다.

2. There ✓is are a man. 남자 한 명이 있다.

3. There is ✓are three carrots. 당근 세 개가 있다.

B 그림을 보고, 알맞은 말을 골라 문장을 완성하세요.

1. (There is) / There are — There is a lion. 사자 한 마리가 있다.

2. There is / (There are) — There are flowers. 꽃들이 있다.

C 그림을 보고, 주어진 말을 바르게 배열하여 문장을 쓰세요.

1. there / a bag / is ➡ There is a bag. 가방 한 개가 있다.

2. are / there / cats ➡ There are cats. 고양이들이 있다.

D 그림을 보고, 알맞은 말을 보기에서 골라 is 또는 are를 이용하여 문장을 완성하세요.

보기 a bird children a tree

1. There is a bird. 새 한 마리가 있다.

2. There is a tree. 나무 한 그루가 있다.

3. There are children. 어린이들이 있다.

34 • 똑똑한 하루 Grammar

Level 2 A • 35

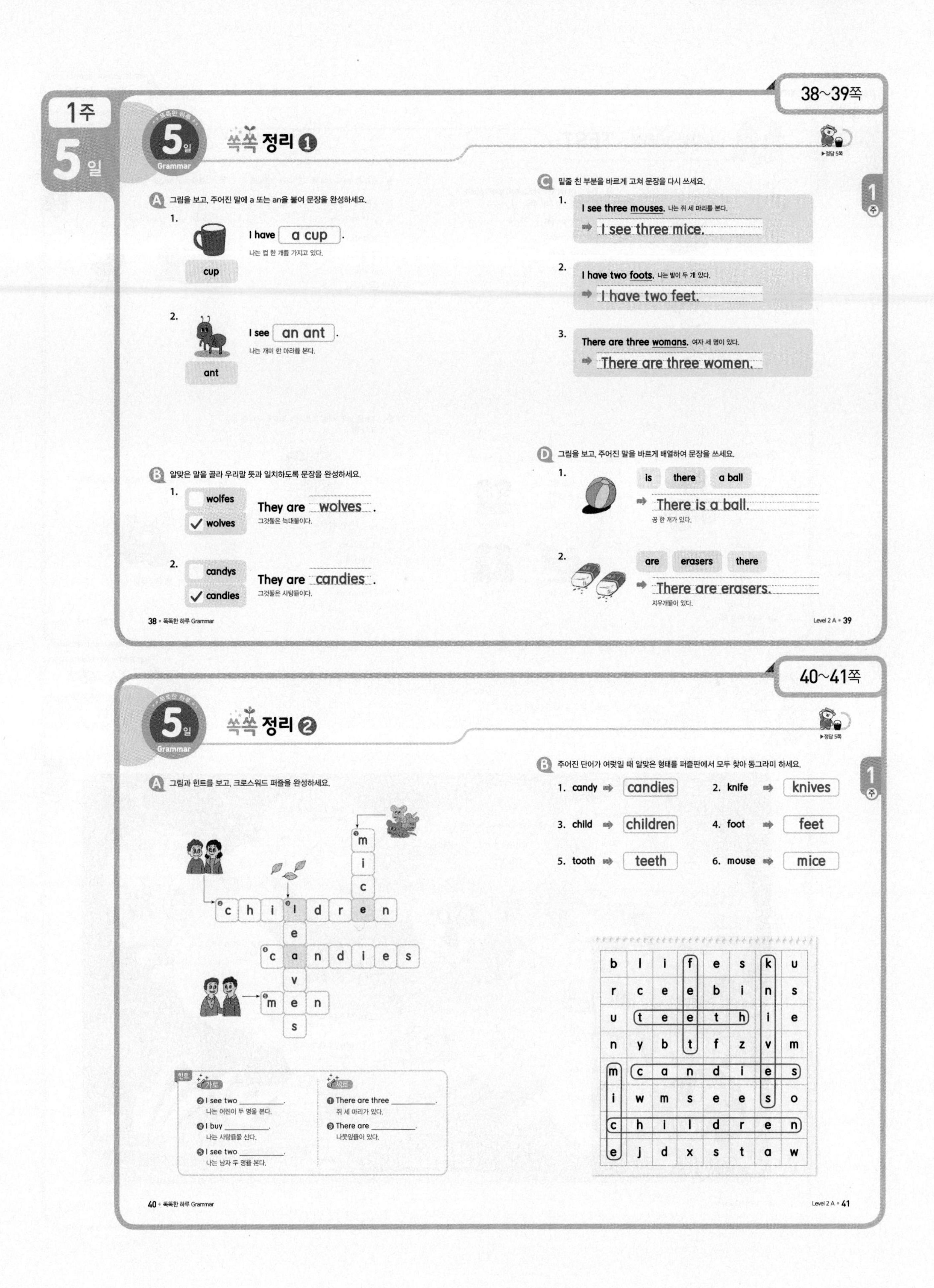

38~39쪽

1주 5일

5일 Grammar

쏙쏙 정리 ❶

A 그림을 보고, 주어진 말에 a 또는 an을 붙여 문장을 완성하세요.

1. cup — I have a cup.
나는 컵 한 개를 가지고 있다.

2. ant — I see an ant.
나는 개미 한 마리를 본다.

B 알맞은 말을 골라 우리말 뜻과 일치하도록 문장을 완성하세요.

1. ☐ wolfes ✓ wolves — They are wolves.
그것들은 늑대들이다.

2. ☐ candys ✓ candies — They are candies.
그것들은 사탕들이다.

C 밑줄 친 부분을 바르게 고쳐 문장을 다시 쓰세요.

1. I see three mouses. 나는 쥐 세 마리를 본다.
➡ I see three mice.

2. I have two foots. 나는 발이 두 개 있다.
➡ I have two feet.

3. There are three womans. 여자 세 명이 있다.
➡ There are three women.

D 그림을 보고, 주어진 말을 바르게 배열하여 문장을 쓰세요.

1. is / there / a ball
➡ There is a ball.
공 한 개가 있다.

2. are / erasers / there
➡ There are erasers.
지우개들이 있다.

38 • 똑똑한 하루 Grammar　　Level 2 A • 39

40~41쪽

5일 Grammar

쏙쏙 정리 ❷

A 그림과 힌트를 보고, 크로스워드 퍼즐을 완성하세요.

가로: ❷ children, ❹ candies, ❺ men
세로: ❶ mice, ❸ leaves

힌트
가로
❷ I see two ______. 나는 어린이 두 명을 본다.
❹ I buy ______. 나는 사탕들을 산다.
❺ I see two ______. 나는 남자 두 명을 본다.
세로
❶ There are three ______. 쥐 세 마리가 있다.
❸ There are ______. 나뭇잎들이 있다.

B 주어진 단어가 여럿일 때 알맞은 형태를 퍼즐판에서 모두 찾아 동그라미 하세요.

1. candy ➡ candies　2. knife ➡ knives
3. child ➡ children　4. foot ➡ feet
5. tooth ➡ teeth　6. mouse ➡ mice

b	l	i	f	e	s	k	u
r	c	e	e	b	i	n	s
u	t	e	e	t	h	i	e
n	y	b	t	f	z	v	m
m	c	a	n	d	i	e	s
i	w	m	s	e	e	s	o
c	h	i	l	d	r	e	n
e	j	d	x	s	t	a	w

40 • 똑똑한 하루 Grammar　　Level 2 A • 41

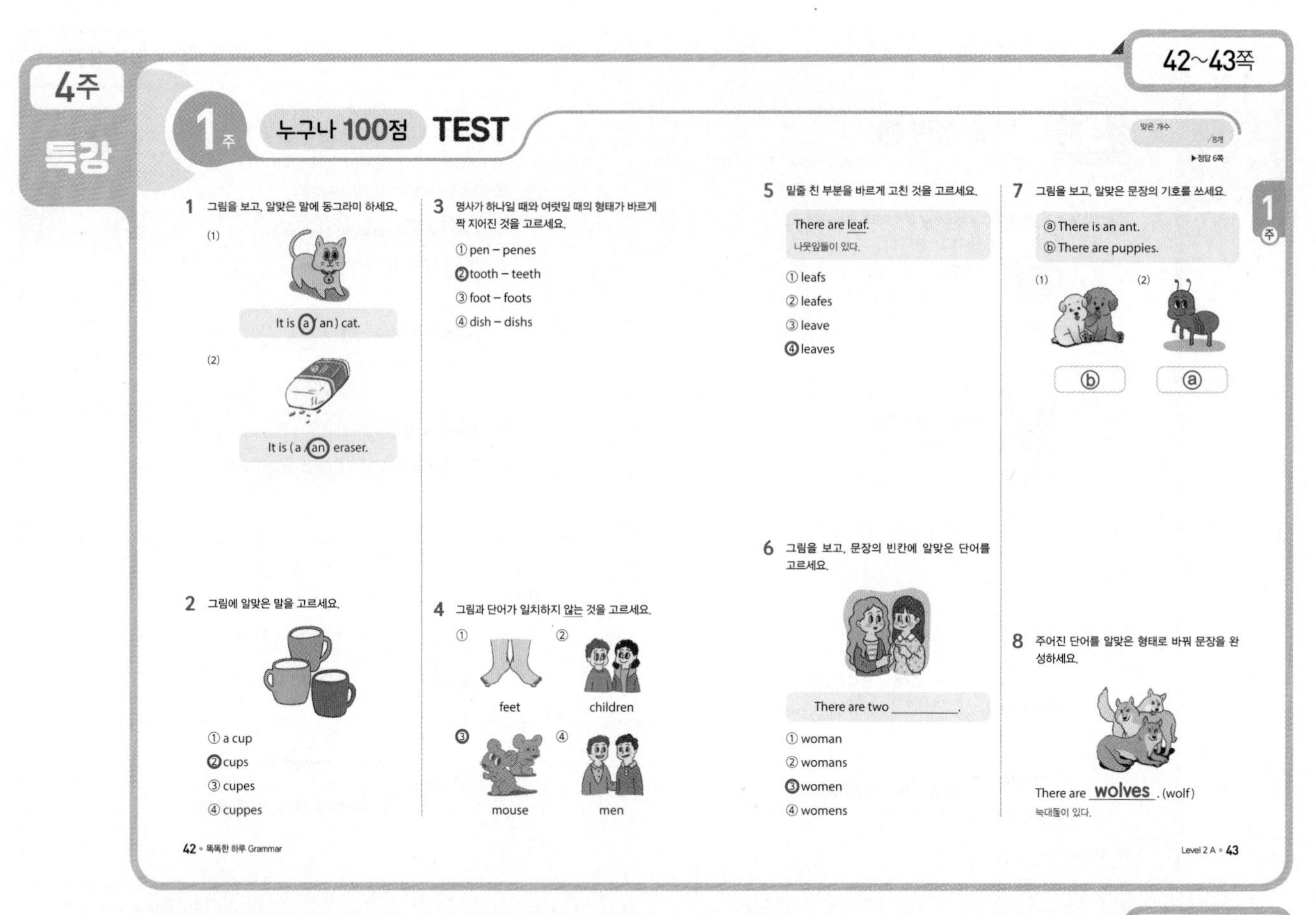
42~43쪽
4주
특강
1주 누구나 100점 TEST
1 그림을 보고, 알맞은 말에 동그라미 하세요.
(1) It is (a / an) cat.
(2) It is (a / an) eraser.
2 그림에 알맞은 말을 고르세요.
① a cup
② cups
③ cupes
④ cuppes
3 명사가 하나일 때와 여럿일 때의 형태가 바르게 짝 지어진 것을 고르세요.
① pen – penes
② tooth – teeth
③ foot – foots
④ dish – dishs
4 그림과 단어가 일치하지 않는 것을 고르세요.
feet
children
mouse
men
5 밑줄 친 부분을 바르게 고친 것을 고르세요.
There are leaf.
나뭇잎들이 있다.
① leafs
② leafes
③ leave
④ leaves
6 그림을 보고, 문장의 빈칸에 알맞은 단어를 고르세요.
There are two ________.
① woman
② womans
③ women
④ womens
7 그림을 보고, 알맞은 문장의 기호를 쓰세요.
ⓐ There is an ant.
ⓑ There are puppies.
(1) ⓑ
(2) ⓐ
8 주어진 단어를 알맞은 형태로 바꿔 문장을 완성하세요.
There are wolves. (wolf)
늑대들이 있다.
42 • 똑똑한 하루 Grammar
Level 2 A • 43

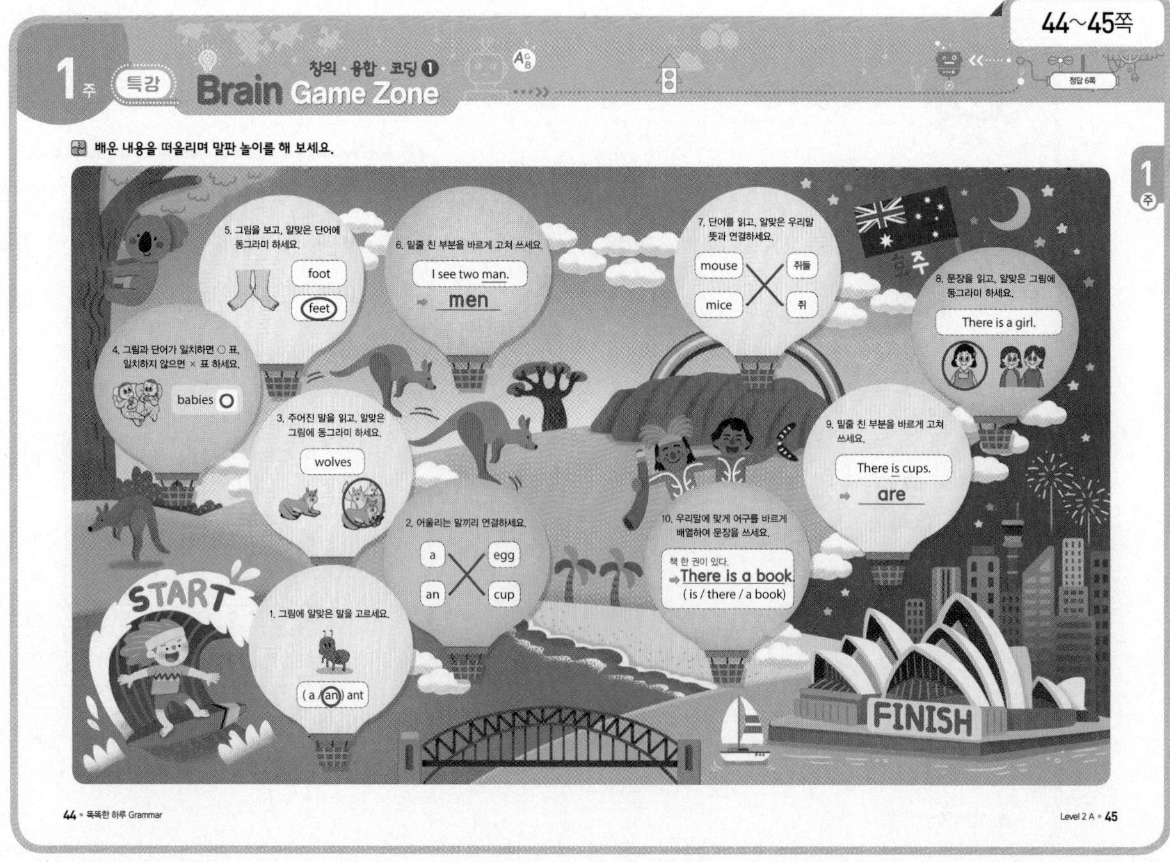
44~45쪽
1주 특강 창의·융합·코딩 ❶ Brain Game Zone
배운 내용을 떠올리며 말판 놀이를 해 보세요.
1. 그림에 알맞은 말을 고르세요.
(a / an) ant
2. 어울리는 말끼리 연결하세요.
a
an
egg
cup
3. 주어진 말을 읽고, 알맞은 그림에 동그라미 하세요.
wolves
4. 그림과 단어가 일치하면 ○ 표, 일치하지 않으면 × 표 하세요.
babies ○
5. 그림을 보고, 알맞은 단어에 동그라미 하세요.
foot
feet
6. 밑줄 친 부분을 바르게 고쳐 쓰세요.
I see two man.
men
7. 단어를 읽고, 알맞은 우리말 뜻과 연결하세요.
mouse
mice
쥐들
쥐
8. 문장을 읽고, 알맞은 그림에 동그라미 하세요.
There is a girl.
9. 밑줄 친 부분을 바르게 고쳐 쓰세요.
There is cups.
are
10. 우리말에 맞게 어구를 바르게 배열하여 문장을 쓰세요.
책 한 권이 있다.
There is a book.
(is / there / a book)
START
FINISH
44 • 똑똑한 하루 Grammar
Level 2 A • 45

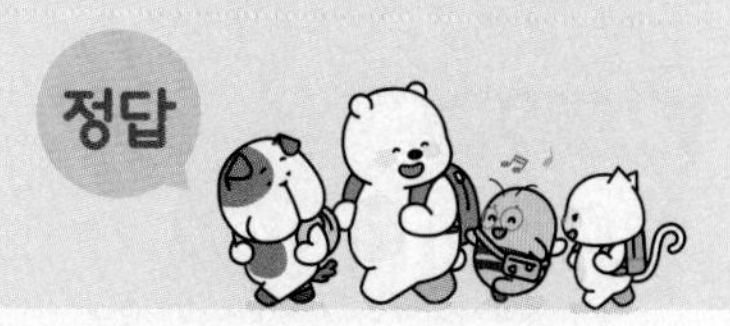

46~47쪽

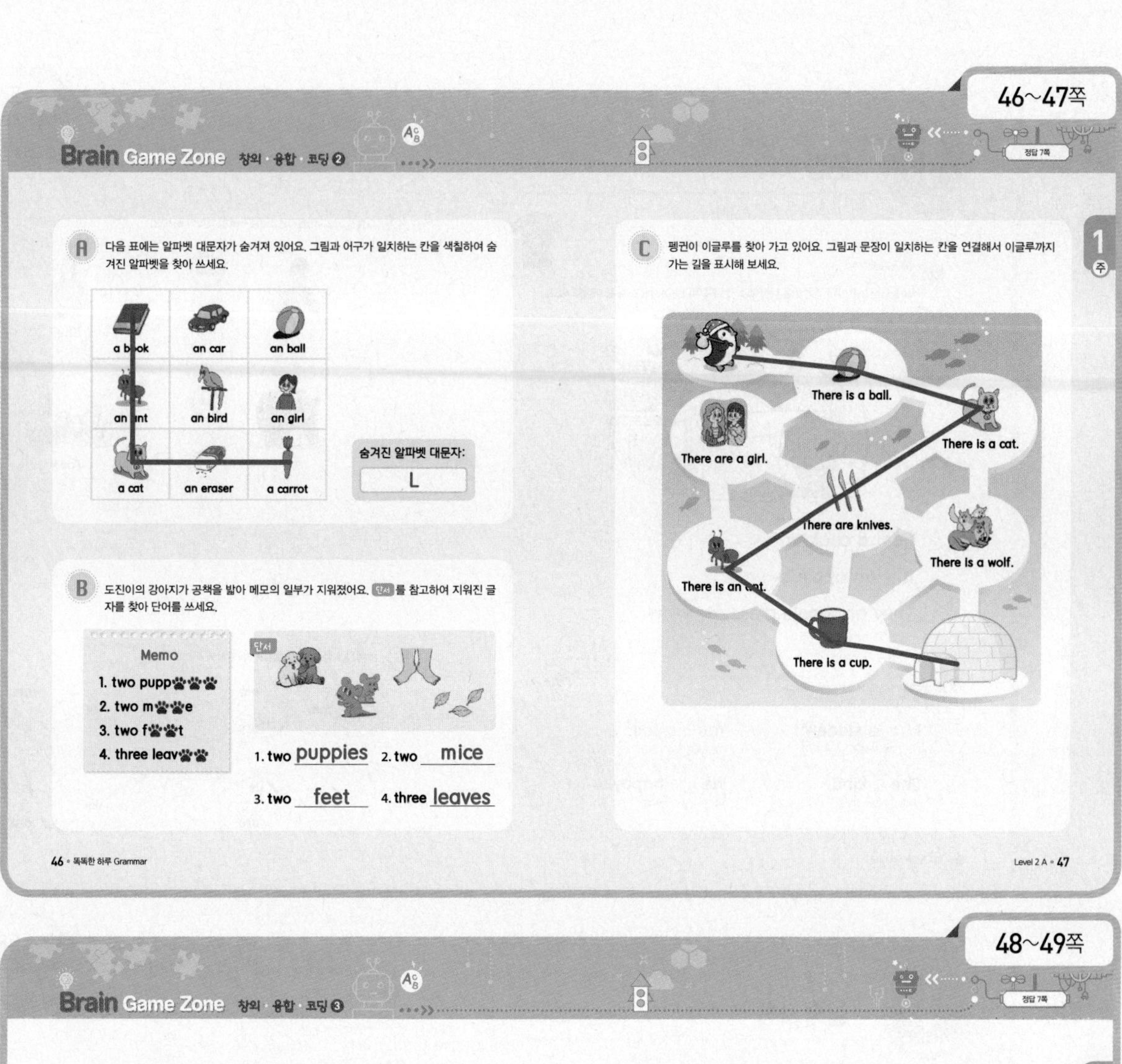

Brain Game Zone 창의 · 융합 · 코딩 ❷

A 다음 표에는 알파벳 대문자가 숨겨져 있어요. 그림과 어구가 일치하는 칸을 색칠하여 숨겨진 알파벳을 찾아 쓰세요.

a book	an car	an ball
an ant	an bird	an girl
a cat	an eraser	a carrot

숨겨진 알파벳 대문자: L

B 도진이의 강아지가 공책을 밟아 메모의 일부가 지워졌어요. 단서를 참고하여 지워진 글자를 찾아 단어를 쓰세요.

Memo
1. two pupp
2. two m e
3. two f t
4. three leav

1. two puppies 2. two mice
3. two feet 4. three leaves

C 펭귄이 이글루를 찾아 가고 있어요. 그림과 문장이 일치하는 칸을 연결해서 이글루까지 가는 길을 표시해 보세요.

There is a ball.
There are a girl.
There is a cat.
There are knives.
There is a wolf.
There is an ant.
There is a cup.

48~49쪽

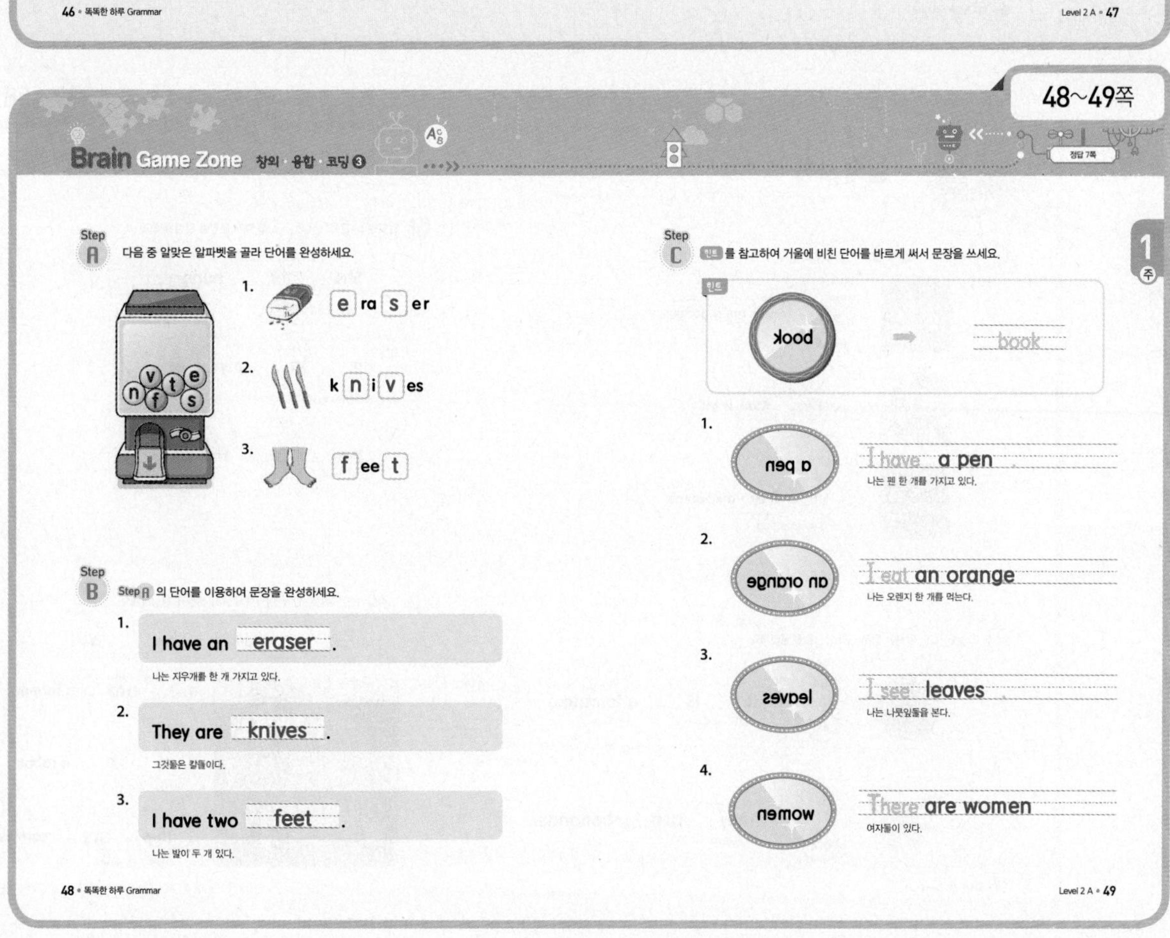

Brain Game Zone 창의 · 융합 · 코딩 ❸

Step A 다음 중 알맞은 알파벳을 골라 단어를 완성하세요.

1. e ra s er
2. k n i v es
3. f ee t

Step B Step A 의 단어를 이용하여 문장을 완성하세요.

1. I have an eraser.
나는 지우개를 한 개 가지고 있다.
2. They are knives.
그것들은 칼들이다.
3. I have two feet.
나는 발이 두 개 있다.

Step C 힌트를 참고하여 거울에 비친 단어를 바르게 써서 문장을 쓰세요.

힌트: book → book

1. I have a pen.
나는 펜 한 개를 가지고 있다.
2. I eat an orange.
나는 오렌지 한 개를 먹는다.
3. I see leaves.
나는 나뭇잎들을 본다.
4. There are women.
여자들이 있다.

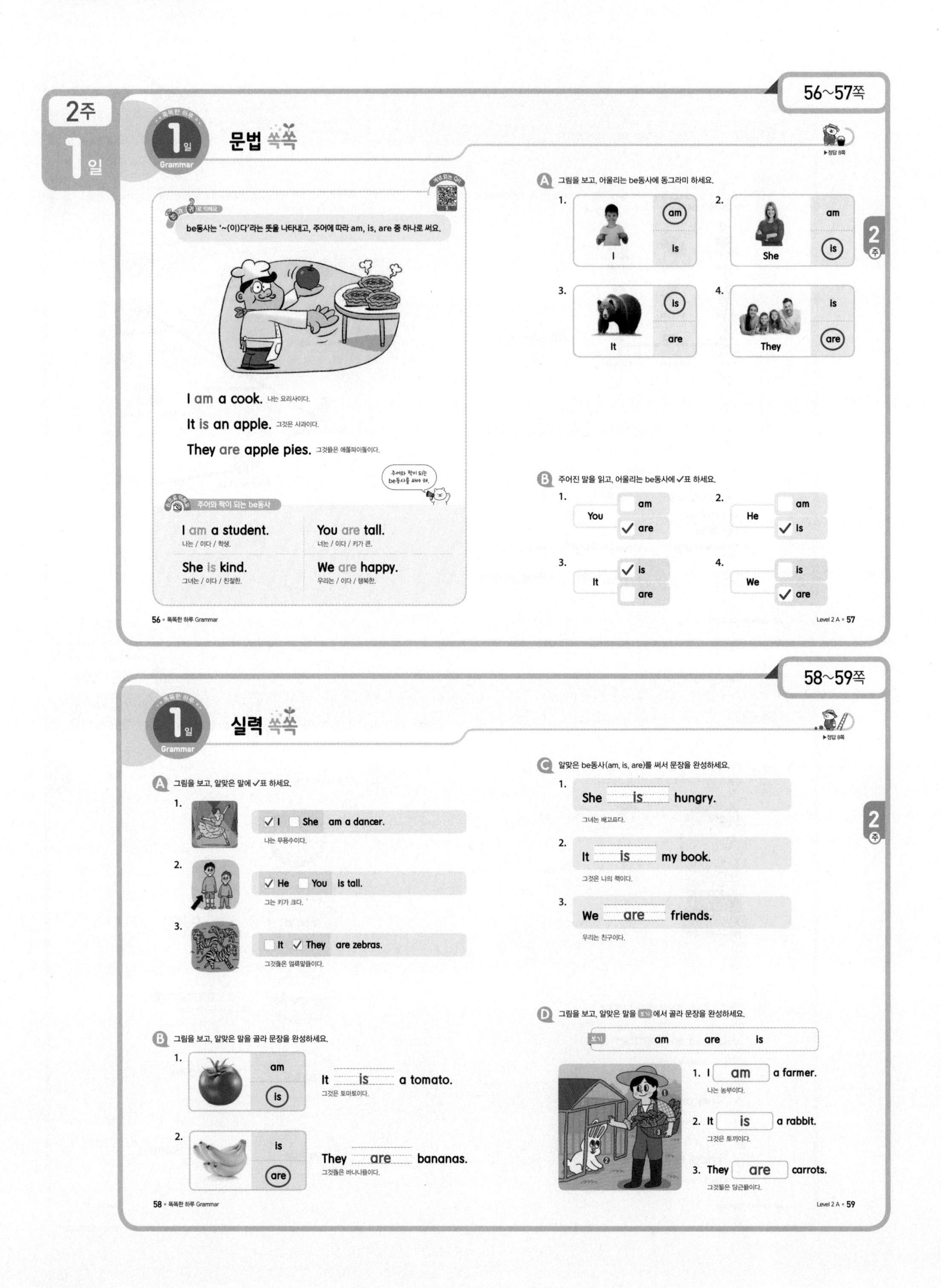

2주 1일

56~57쪽

1일 Grammar

문법 쏙쏙

be동사는 '~(이)다'라는 뜻을 나타내고, 주어에 따라 am, is, are 중 하나로 써요.

I am a cook. 나는 요리사이다.

It is an apple. 그것은 사과이다.

They are apple pies. 그것들은 애플파이들이다.

주어와 짝이 되는 be동사

I am a student. 나는 / 이다 / 학생.	You are tall. 너는 / 이다 / 키가 큰.
She is kind. 그녀는 / 이다 / 친절한.	We are happy. 우리는 / 이다 / 행복한.

A 그림을 보고, 어울리는 be동사에 동그라미 하세요.

1. I — (am) / is
2. She — am / (is)
3. It — (is) / are
4. They — is / (are)

B 주어진 말을 읽고, 어울리는 be동사에 ✓표 하세요.

1. You — am / ✓ are
2. He — am / ✓ is
3. It — ✓ is / are
4. We — is / ✓ are

56 • 똑똑한 하루 Grammar   Level 2 A • 57

58~59쪽

1일 Grammar

실력 쏙쏙

A 그림을 보고, 알맞은 말에 ✓표 하세요.

1. ✓ I She am a dancer. 나는 무용수이다.
2. ✓ He You is tall. 그는 키가 크다.
3. It ✓ They are zebras. 그것들은 얼룩말들이다.

B 그림을 보고, 알맞은 말을 골라 문장을 완성하세요.

1. am / (is) — It is a tomato. 그것은 토마토이다.
2. is / (are) — They are bananas. 그것들은 바나나들이다.

C 알맞은 be동사(am, is, are)를 써서 문장을 완성하세요.

1. She is hungry. 그녀는 배고프다.
2. It is my book. 그것은 나의 책이다.
3. We are friends. 우리는 친구이다.

D 그림을 보고, 알맞은 말을 보기에서 골라 문장을 완성하세요.

보기 am are is

1. I am a farmer. 나는 농부이다.
2. It is a rabbit. 그것은 토끼이다.
3. They are carrots. 그것들은 당근들이다.

58 • 똑똑한 하루 Grammar   Level 2 A • 59

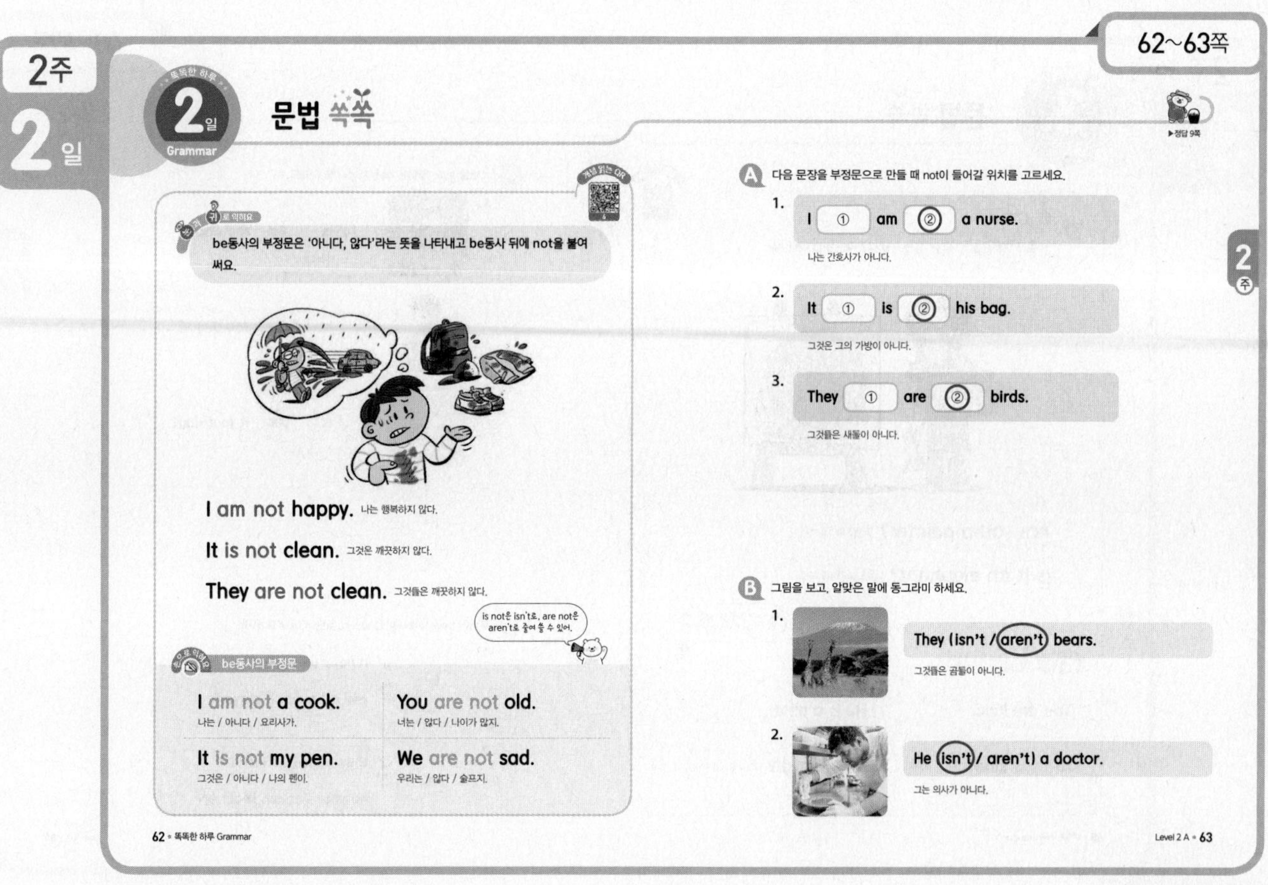

62~63쪽

2주 2일

2일 Grammar

문법 쏙쏙

be동사의 부정문은 '아니다, 않다'라는 뜻을 나타내고 be동사 뒤에 not을 붙여 써요.

I am not happy. 나는 행복하지 않다.

It is not clean. 그것은 깨끗하지 않다.

They are not clean. 그것들은 깨끗하지 않다.

is not은 isn't로, are not은 aren't로 줄여 쓸 수 있어.

be동사의 부정문

I am not a cook. 나는 / 아니다 / 요리사가.	You are not old. 너는 / 않다 / 나이가 많지.
It is not my pen. 그것은 / 아니다 / 나의 펜이.	We are not sad. 우리는 / 않다 / 슬프지.

A 다음 문장을 부정문으로 만들 때 not이 들어갈 위치를 고르세요.

1. I ① am ② a nurse. (②) 나는 간호사가 아니다.
2. It ① is ② his bag. (②) 그것은 그의 가방이 아니다.
3. They ① are ② birds. (②) 그것들은 새들이 아니다.

B 그림을 보고, 알맞은 말에 동그라미 하세요.

1. They (isn't / aren't) bears. (aren't) 그것들은 곰들이 아니다.
2. He (isn't / aren't) a doctor. (isn't) 그는 의사가 아니다.

62 • 똑똑한 하루 Grammar　　Level 2 A • 63

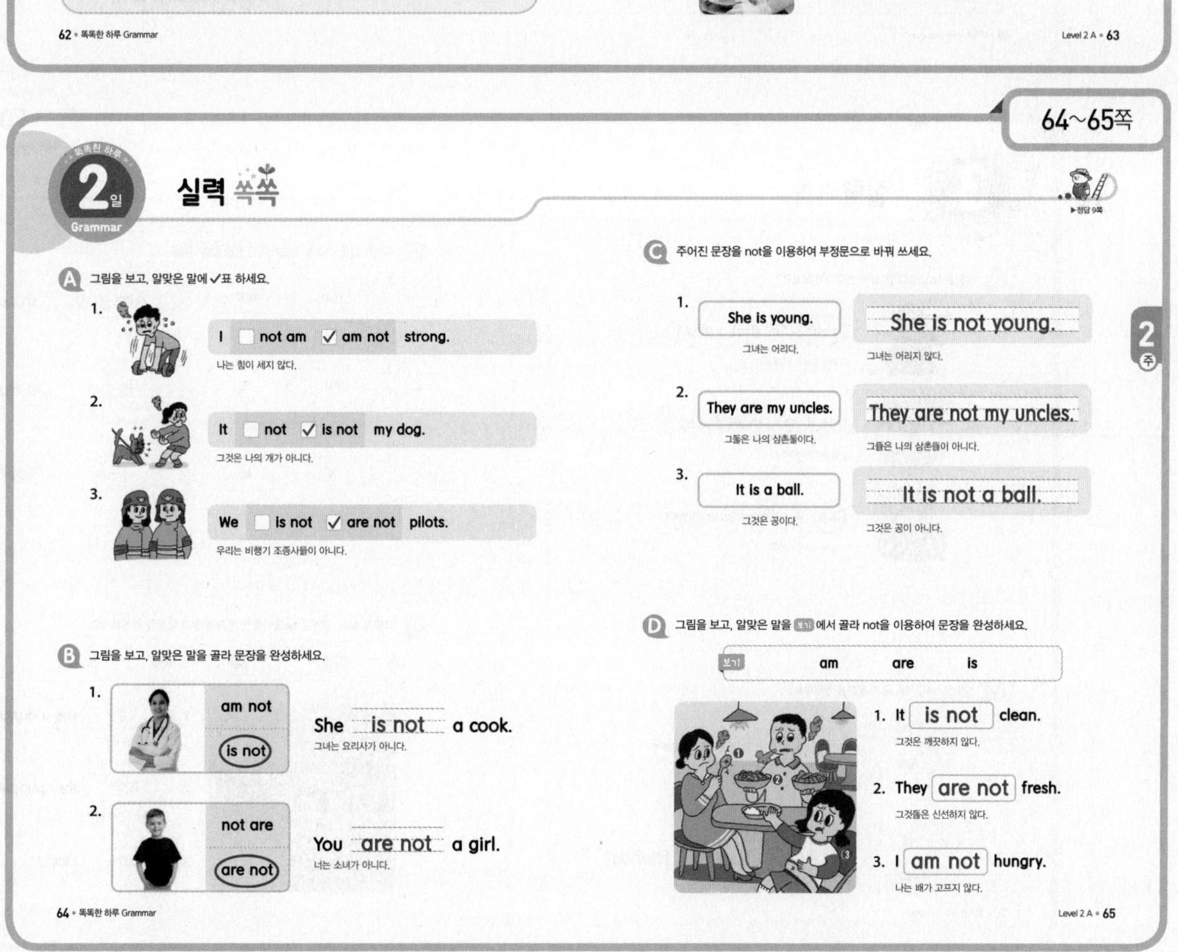

64~65쪽

2일 Grammar

실력 쏙쏙

A 그림을 보고, 알맞은 말에 ✓표 하세요.

1. I ☐ not am ✓ am not strong. 나는 힘이 세지 않다.
2. It ☐ not ✓ is not my dog. 그것은 나의 개가 아니다.
3. We ☐ is not ✓ are not pilots. 우리는 비행기 조종사들이 아니다.

B 그림을 보고, 알맞은 말을 골라 문장을 완성하세요.

1. am not / (is not) — She is not a cook. 그녀는 요리사가 아니다.
2. not are / (are not) — You are not a girl. 너는 소녀가 아니다.

C 주어진 문장을 not을 이용하여 부정문으로 바꿔 쓰세요.

1. She is young. 그녀는 어리다. → She is not young. 그녀는 어리지 않다.
2. They are my uncles. 그들은 나의 삼촌들이다. → They are not my uncles. 그들은 나의 삼촌들이 아니다.
3. It is a ball. 그것은 공이다. → It is not a ball. 그것은 공이 아니다.

D 그림을 보고, 알맞은 말을 보기에서 골라 not을 이용하여 문장을 완성하세요.

보기 am are is

1. It is not clean. 그것은 깨끗하지 않다.
2. They are not fresh. 그것들은 신선하지 않다.
3. I am not hungry. 나는 배가 고프지 않다.

64 • 똑똑한 하루 Grammar　　Level 2 A • 65

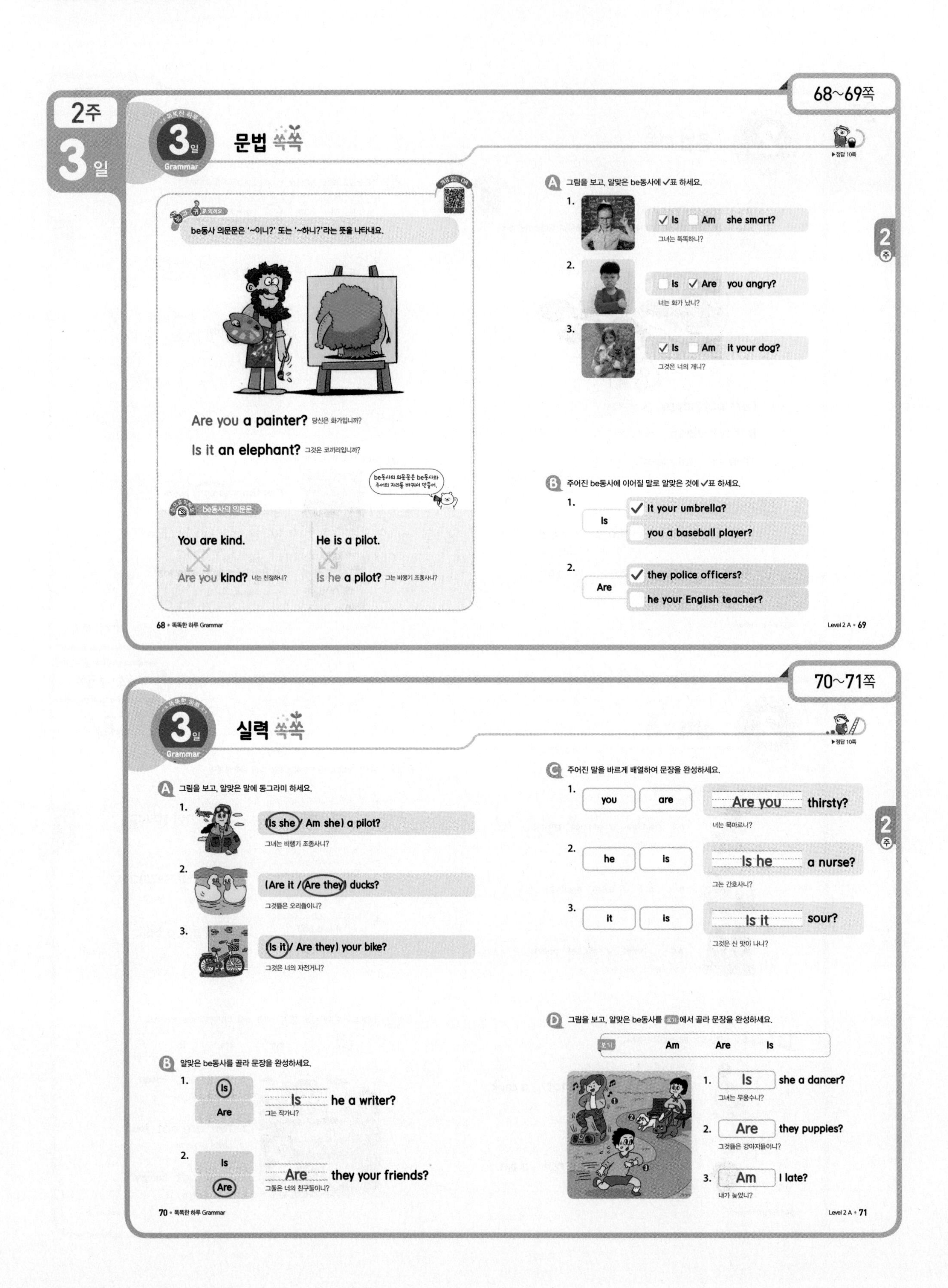

68~69쪽

2주 3일

3일 Grammar **문법 쏙쏙**

▶정답 10쪽

be동사 의문문은 '~이니?' 또는 '~하니?'라는 뜻을 나타내요.

Are you a painter? 당신은 화가입니까?

Is it an elephant? 그것은 코끼리입니까?

be동사의 의문문은 be동사와 주어의 자리를 바꿔서 만들어.

be동사의 의문문

You are kind. → Are you kind? 너는 친절하니?

He is a pilot. → Is he a pilot? 그는 비행기 조종사니?

A 그림을 보고, 알맞은 be동사에 ✓표 하세요.

1. ✓ Is / Am she smart? 그녀는 똑똑하니?
2. Is / ✓ Are you angry? 너는 화가 났니?
3. ✓ Is / Am it your dog? 그것은 너의 개니?

B 주어진 be동사에 이어질 말로 알맞은 것에 ✓표 하세요.

1. Is — ✓ it your umbrella? / you a baseball player?
2. Are — ✓ they police officers? / he your English teacher?

68 • 똑똑한 하루 Grammar　　Level 2 A • 69

70~71쪽

3일 Grammar **실력 쏙쏙**

▶정답 10쪽

A 그림을 보고, 알맞은 말에 동그라미 하세요.

1. (Is she / Am she) a pilot? → Is she 그녀는 비행기 조종사니?
2. (Are it / Are they) ducks? → Are they 그것들은 오리들이니?
3. (Is it / Are they) your bike? → Is it 그것은 너의 자전거니?

B 알맞은 be동사를 골라 문장을 완성하세요.

1. (Is) / Are — Is he a writer? 그는 작가니?
2. Is / (Are) — Are they your friends? 그들은 너의 친구들이니?

C 주어진 말을 바르게 배열하여 문장을 완성하세요.

1. you / are — Are you thirsty? 너는 목마르니?
2. he / is — Is he a nurse? 그는 간호사니?
3. it / is — Is it sour? 그것은 신 맛이 나니?

D 그림을 보고, 알맞은 be동사를 보기에서 골라 문장을 완성하세요.

보기: Am　Are　Is

1. Is she a dancer? 그녀는 무용수니?
2. Are they puppies? 그것들은 강아지들이니?
3. Am I late? 내가 늦었니?

70 • 똑똑한 하루 Grammar　　Level 2 A • 71

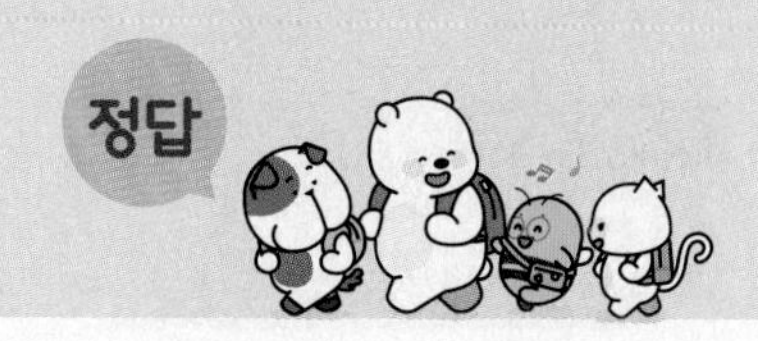

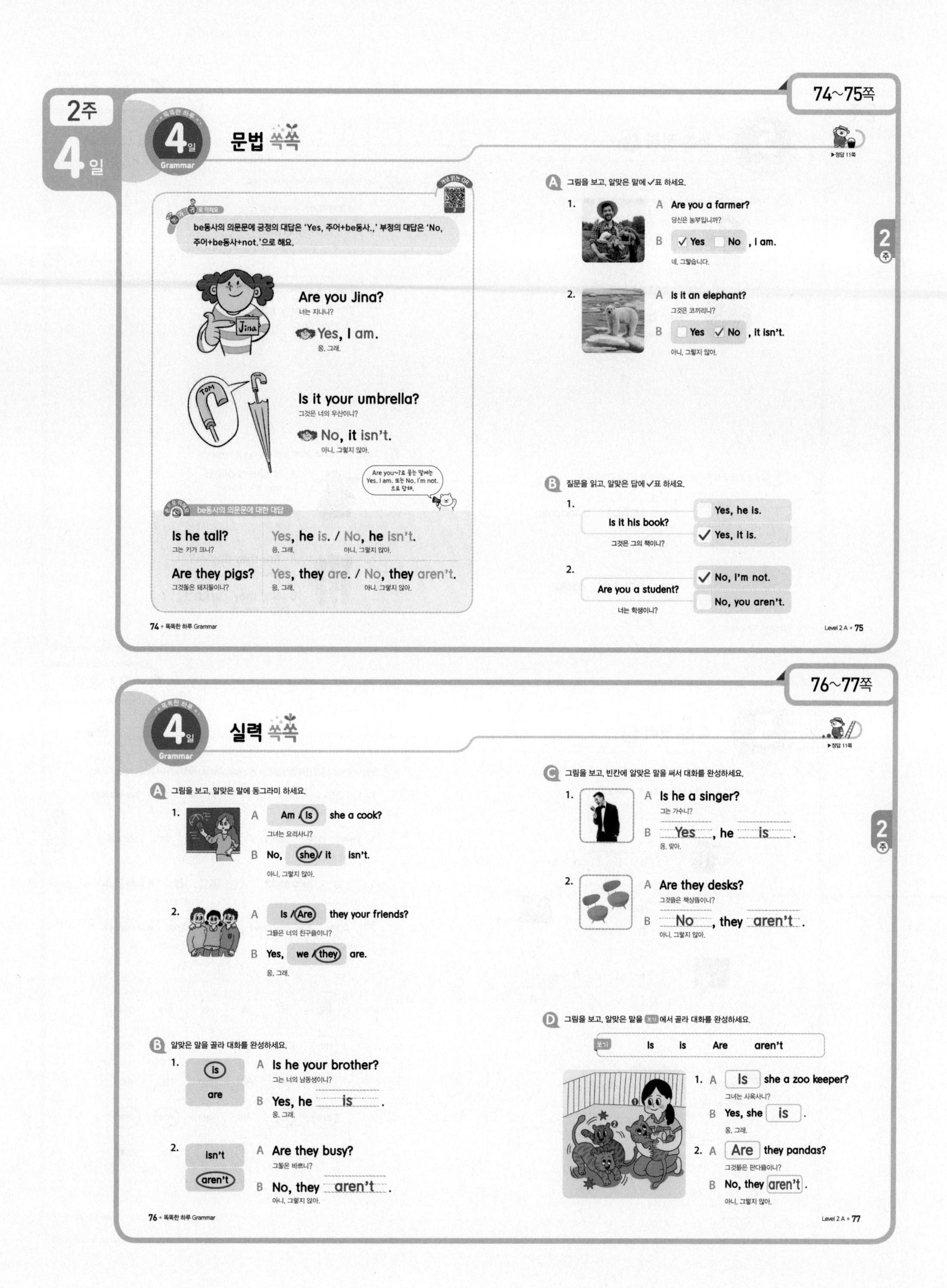

2주 4일

74~75쪽

4일 Grammar 문법 쏙쏙

▶정답 11쪽

개념 읽는 QR

귀로 익혀요

be동사의 의문문에 긍정의 대답은 'Yes, 주어+be동사.,' 부정의 대답은 'No, 주어+be동사+not.'으로 해요.

Are you Jina? 너는 지나니?
Yes, I am. 응, 그래.

Is it your umbrella? 그것은 너의 우산이니?
No, it isn't. 아니, 그렇지 않아.

Are you~?로 묻는 말에는 Yes, I am. 또는 No, I'm not.으로 답해.

눈으로 익혀요 be동사의 의문문에 대한 대답

Is he tall? 그는 키가 크니?	Yes, he is. 응, 그래. / No, he isn't. 아니, 그렇지 않아.
Are they pigs? 그것들은 돼지들이니?	Yes, they are. 응, 그래. / No, they aren't. 아니, 그렇지 않아.

74 • 똑똑한 하루 Grammar

A 그림을 보고, 알맞은 말에 ✓표 하세요.

1. A Are you a farmer? 당신은 농부입니까?
   B ✓ Yes / No, I am. 네, 그렇습니다.

2. A Is it an elephant? 그것은 코끼리니?
   B Yes / ✓ No, it isn't. 아니, 그렇지 않아.

B 질문을 읽고, 알맞은 답에 ✓표 하세요.

1. Is it his book? 그것은 그의 책이니?
   - Yes, he is.
   - ✓ Yes, it is.

2. Are you a student? 너는 학생이니?
   - ✓ No, I'm not.
   - No, you aren't.

Level 2 A • 75

76~77쪽

4일 Grammar 실력 쏙쏙

▶정답 11쪽

A 그림을 보고, 알맞은 말에 동그라미 하세요.

1. A Am / (Is) she a cook? 그녀는 요리사니?
   B No, (she) / it isn't. 아니, 그렇지 않아.

2. A Is / (Are) they your friends? 그들은 너의 친구들이니?
   B Yes, we / (they) are. 응, 그래.

B 알맞은 말을 골라 대화를 완성하세요.

1. (is) / are
   A Is he your brother? 그는 너의 남동생이니?
   B Yes, he is. 응, 그래.

2. isn't / (aren't)
   A Are they busy? 그들은 바쁘니?
   B No, they aren't. 아니, 그렇지 않아.

76 • 똑똑한 하루 Grammar

C 그림을 보고, 빈칸에 알맞은 말을 써서 대화를 완성하세요.

1. A Is he a singer? 그는 가수니?
   B Yes, he is. 응, 맞아.

2. A Are they desks? 그것들은 책상들이니?
   B No, they aren't. 아니, 그렇지 않아.

D 그림을 보고, 알맞은 말을 보기 에서 골라 대화를 완성하세요.

보기 Is is Are aren't

1. A Is she a zoo keeper? 그녀는 사육사니?
   B Yes, she is. 응, 그래.

2. A Are they pandas? 그것들은 판다들이니?
   B No, they aren't. 아니, 그렇지 않아.

Level 2 A • 77

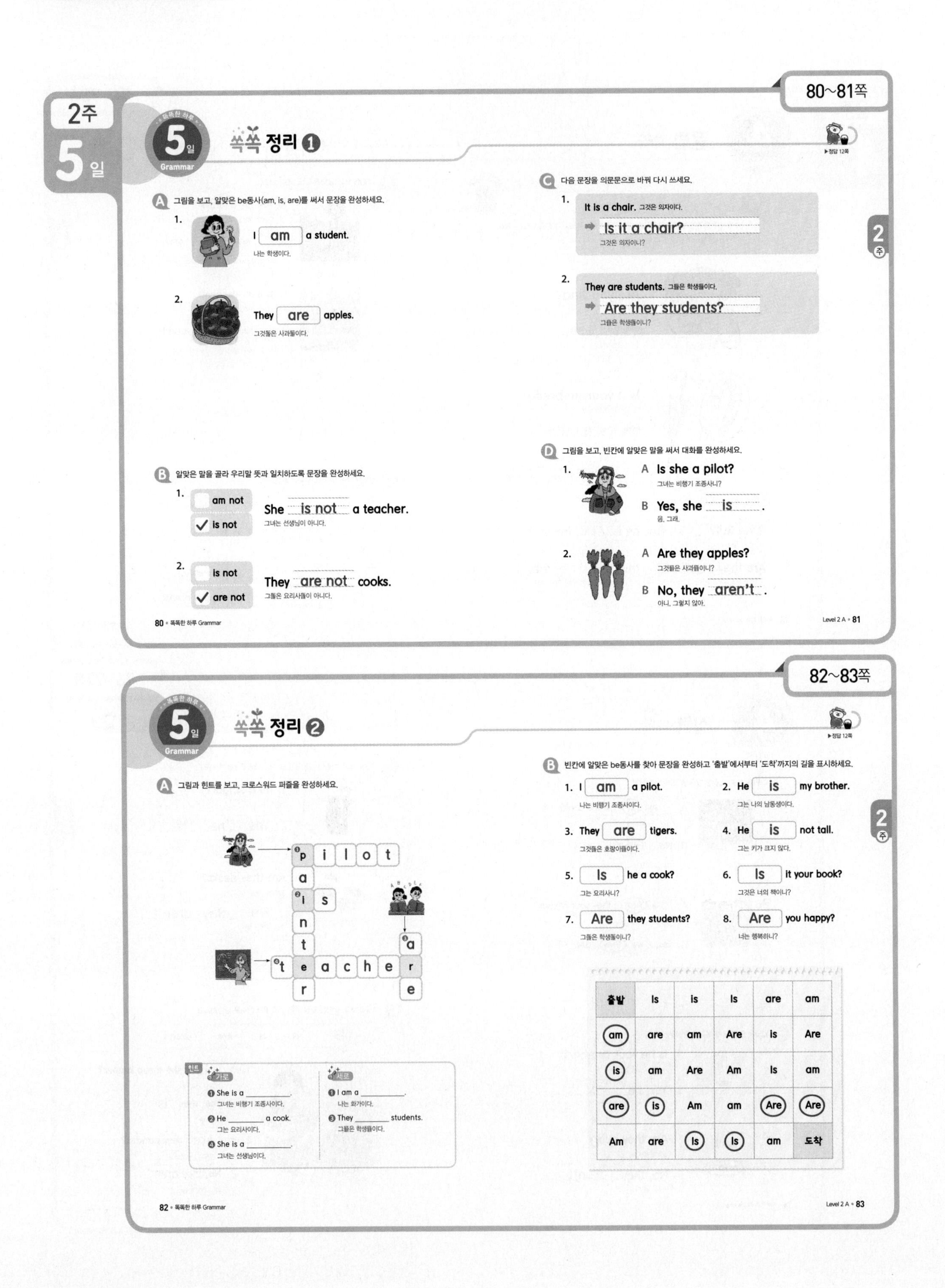

80~81쪽

2주 5일

쏙쏙 정리 ①

▶정답 12쪽

A 그림을 보고, 알맞은 be동사(am, is, are)를 써서 문장을 완성하세요.

1. I **am** a student.
나는 학생이다.

2. They **are** apples.
그것들은 사과들이다.

B 알맞은 말을 골라 우리말 뜻과 일치하도록 문장을 완성하세요.

1. am not / ✓ is not
She **is not** a teacher.
그녀는 선생님이 아니다.

2. is not / ✓ are not
They **are not** cooks.
그들은 요리사들이 아니다.

C 다음 문장을 의문문으로 바꿔 다시 쓰세요.

1. It is a chair. 그것은 의자이다.
➡ **Is it a chair?**
그것은 의자이니?

2. They are students. 그들은 학생들이다.
➡ **Are they students?**
그들은 학생들이니?

D 그림을 보고, 빈칸에 알맞은 말을 써서 대화를 완성하세요.

1. A Is she a pilot?
그녀는 비행기 조종사니?
B Yes, she **is**.
응, 그래.

2. A Are they apples?
그것들은 사과들이니?
B No, they **aren't**.
아니, 그렇지 않아.

80 • 똑똑한 하루 Grammar　　Level 2 A • 81

82~83쪽

쏙쏙 정리 ②

▶정답 12쪽

A 그림과 힌트를 보고, 크로스워드 퍼즐을 완성하세요.

가로: ❶ pilot ❷ is ❹ teacher
세로: ❶ painter ❸ are

힌트
가로
❶ She is a ________.
그녀는 비행기 조종사이다.
❷ He ________ a cook.
그는 요리사이다.
❹ She is a ________.
그녀는 선생님이다.

세로
❶ I am a ________.
나는 화가이다.
❸ They ________ students.
그들은 학생들이다.

B 빈칸에 알맞은 be동사를 찾아 문장을 완성하고 '출발'에서부터 '도착'까지의 길을 표시하세요.

1. I **am** a pilot.
나는 비행기 조종사이다.

2. He **is** my brother.
그는 나의 남동생이다.

3. They **are** tigers.
그것들은 호랑이들이다.

4. He **is** not tall.
그는 키가 크지 않다.

5. **Is** he a cook?
그는 요리사니?

6. **Is** it your book?
그것은 너의 책이니?

7. **Are** they students?
그들은 학생들이니?

8. **Are** you happy?
너는 행복하니?

출발	Is	is	Is	are	am
(am)	are	am	Are	is	Are
(is)	am	Are	Am	Is	am
(are)	(is)	Am	am	(Are)	(Are)
Am	are	(Is)	(Is)	am	도착

82 • 똑똑한 하루 Grammar　　Level 2 A • 83

2주 특강

84~85쪽

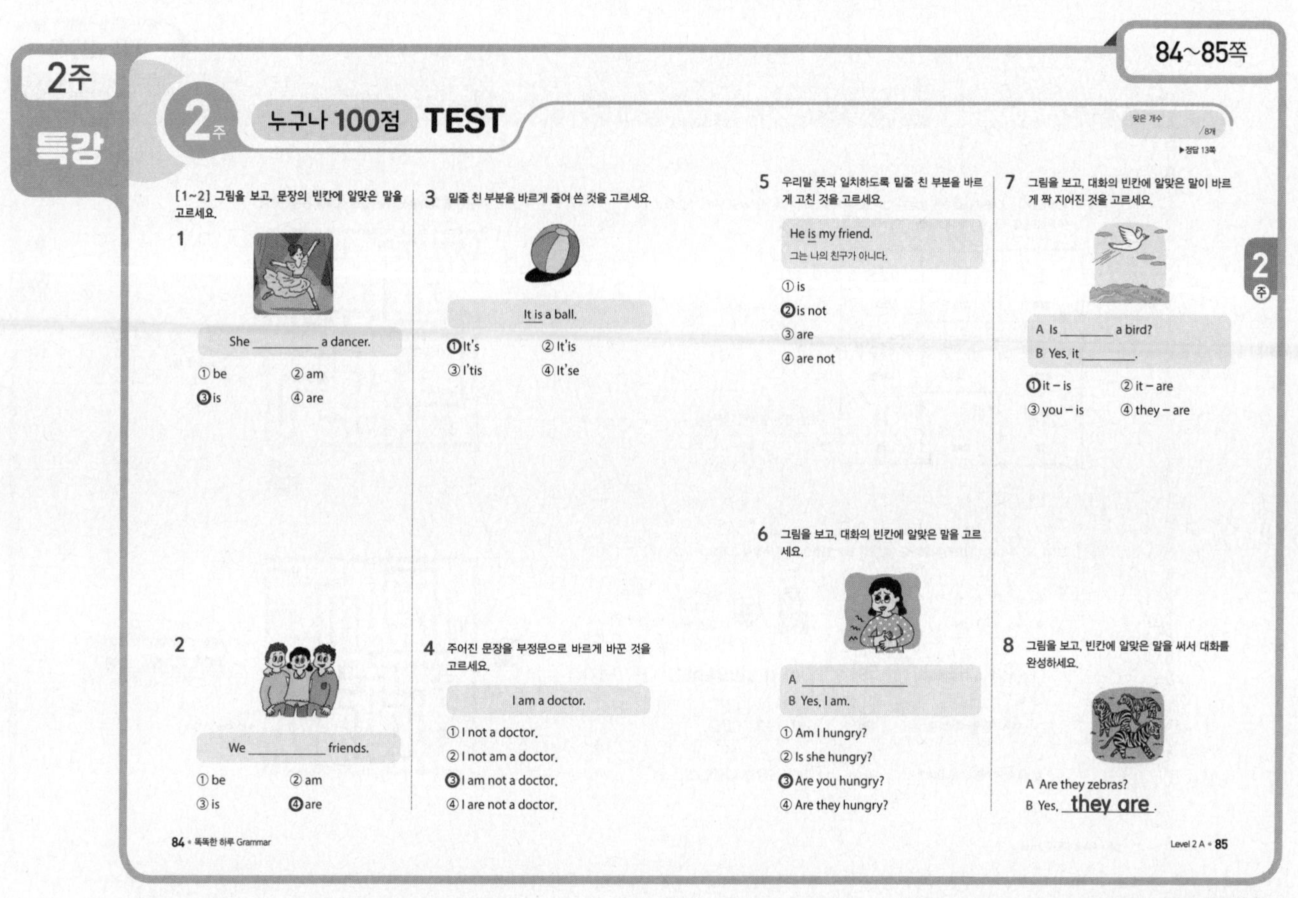

2주 누구나 100점 TEST

맞은 개수 /8개

▶정답 13쪽

[1~2] 그림을 보고, 문장의 빈칸에 알맞은 말을 고르세요.

1

She ________ a dancer.

① be ② am ❸ is ④ are

2

We ________ friends.

① be ② am ③ is ❹ are

3 밑줄 친 부분을 바르게 줄여 쓴 것을 고르세요.

It is a ball.

❶ It's ② It'is ③ I'tis ④ It'se

4 주어진 문장을 부정문으로 바르게 바꾼 것을 고르세요.

I am a doctor.

① I not a doctor.
② I not am a doctor.
❸ I am not a doctor.
④ I are not a doctor.

5 우리말 뜻과 일치하도록 밑줄 친 부분을 바르게 고친 것을 고르세요.

He is my friend.
그는 나의 친구가 아니다.

① is
❷ is not
③ are
④ are not

6 그림을 보고, 대화의 빈칸에 알맞은 말을 고르세요.

A ____________
B Yes, I am.

① Am I hungry?
② Is she hungry?
❸ Are you hungry?
④ Are they hungry?

7 그림을 보고, 대화의 빈칸에 알맞은 말이 바르게 짝 지어진 것을 고르세요.

A Is ________ a bird?
B Yes, it ________.

❶ it – is ② it – are
③ you – is ④ they – are

8 그림을 보고, 빈칸에 알맞은 말을 써서 대화를 완성하세요.

A Are they zebras?
B Yes, they are.

84 • 똑똑한 하루 Grammar　　Level 2 A • 85

86~87쪽

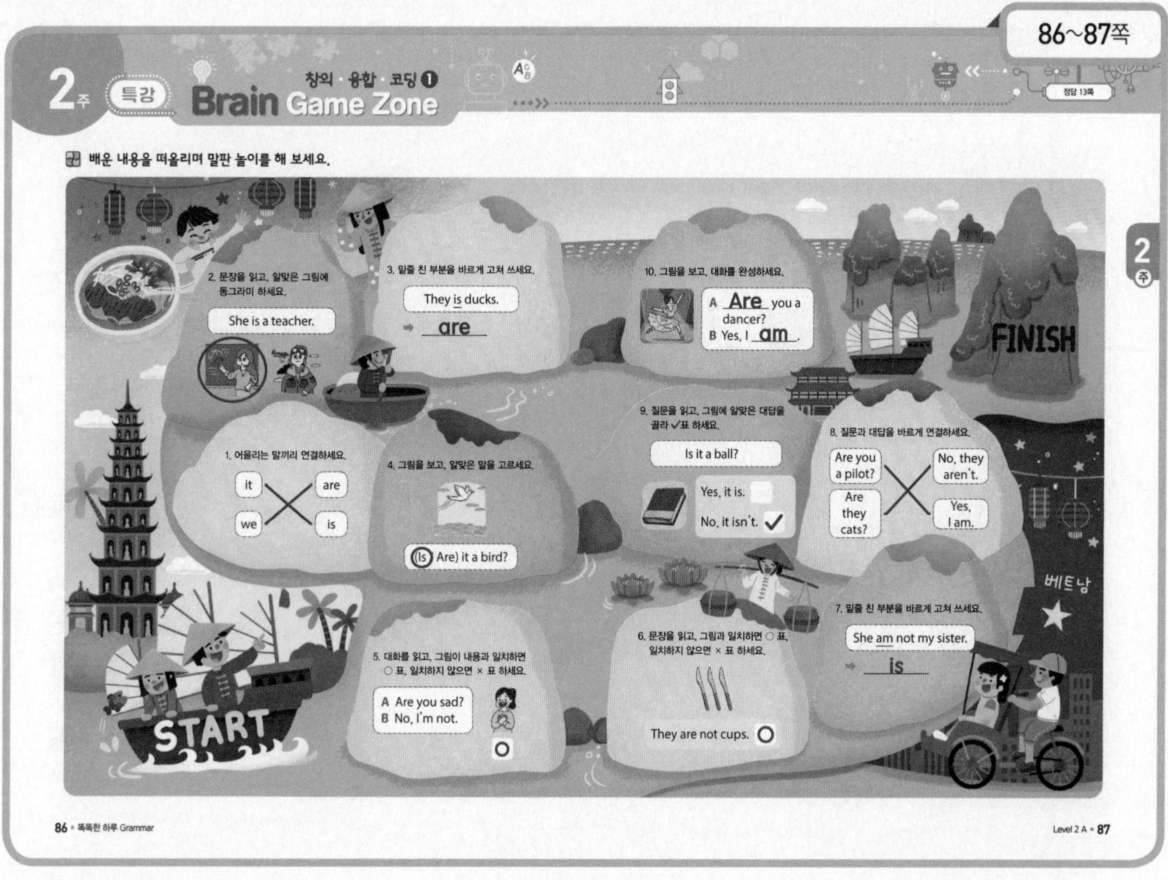

2주 특강 창의 · 융합 · 코딩 ❶ Brain Game Zone

정답 13쪽

배운 내용을 떠올리며 말판 놀이를 해 보세요.

START

1. 어울리는 말끼리 연결하세요.
it – is, we – are

2. 문장을 읽고, 알맞은 그림에 동그라미 하세요.
She is a teacher.

3. 밑줄 친 부분을 바르게 고쳐 쓰세요.
They is ducks. → are

4. 그림을 보고, 알맞은 말을 고르세요.
(Is / Are) it a bird? → Is

5. 대화를 읽고, 그림이 내용과 일치하면 ○ 표, 일치하지 않으면 × 표 하세요.
A Are you sad?
B No, I'm not.
○

6. 문장을 읽고, 그림과 일치하면 ○ 표, 일치하지 않으면 × 표 하세요.
They are not cups. ○

7. 밑줄 친 부분을 바르게 고쳐 쓰세요.
She am not my sister. → is

8. 질문과 대답을 바르게 연결하세요.
Are you a pilot? – Yes, I am.
Are they cats? – No, they aren't.

9. 질문을 읽고, 그림에 알맞은 대답을 골라 ✓표 하세요.
Is it a ball?
Yes, it is.
No, it isn't. ✓

10. 그림을 보고, 대화를 완성하세요.
A Are you a dancer?
B Yes, I am.

FINISH

베트남

86 • 똑똑한 하루 Grammar　　Level 2 A • 87

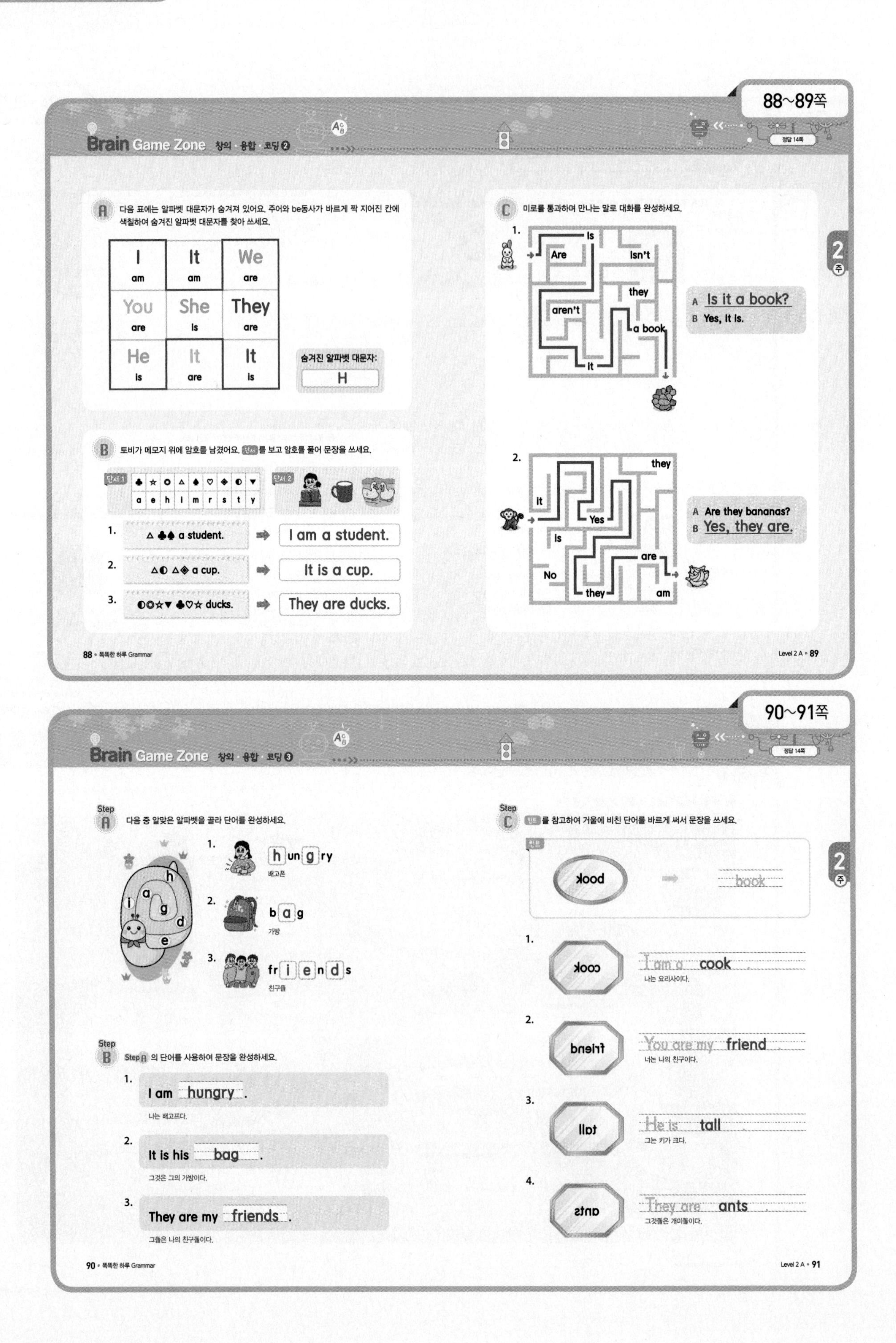

88~89쪽

Brain Game Zone 창의 · 융합 · 코딩 ❷

정답 14쪽

A 다음 표에는 알파벳 대문자가 숨겨져 있어요. 주어와 be동사가 바르게 짝 지어진 칸에 색칠하여 숨겨진 알파벳 대문자를 찾아 쓰세요.

I am	It am	We are
You are	She is	They are
He is	It are	It is

숨겨진 알파벳 대문자: H

B 토비가 메모지 위에 암호를 남겼어요. 단서를 보고 암호를 풀어 문장을 쓰세요.

단서 1

♣	☆	○	△	♠	♡	◈	◐	▼
a	e	h	i	m	r	s	t	y

단서 2

1. △ ♣♠ a student. ➡ I am a student.
2. △◐ △◈ a cup. ➡ It is a cup.
3. ◐○☆▼ ♣♡☆ ducks. ➡ They are ducks.

C 미로를 통과하며 만나는 말로 대화를 완성하세요.

1. Is / Are / Isn't / they / aren't / a book / it
A Is it a book?
B Yes, it is.

2. they / it / Yes / is / are / No / they / am
A Are they bananas?
B Yes, they are.

88 • 똑똑한 하루 Grammar

Level 2 A • 89

90~91쪽

Brain Game Zone 창의 · 융합 · 코딩 ❸

정답 14쪽

Step A 다음 중 알맞은 알파벳을 골라 단어를 완성하세요.

1. h un g ry 배고픈
2. b a g 가방
3. fr i e n d s 친구들

Step B Step A 의 단어를 사용하여 문장을 완성하세요.

1. I am hungry. 나는 배고프다.
2. It is his bag. 그것은 그의 가방이다.
3. They are my friends. 그들은 나의 친구들이다.

Step C 힌트를 참고하여 거울에 비친 단어를 바르게 써서 문장을 쓰세요.

힌트 ʞood ➡ book

1. ʞooɔ — I am a cook. 나는 요리사이다.
2. bnəiɿʇ — You are my friend. 너는 나의 친구이다.
3. llɒʇ — He is tall. 그는 키가 크다.
4. ƨʇnɒ — They are ants. 그것들은 개미들이다.

90 • 똑똑한 하루 Grammar

Level 2 A • 91

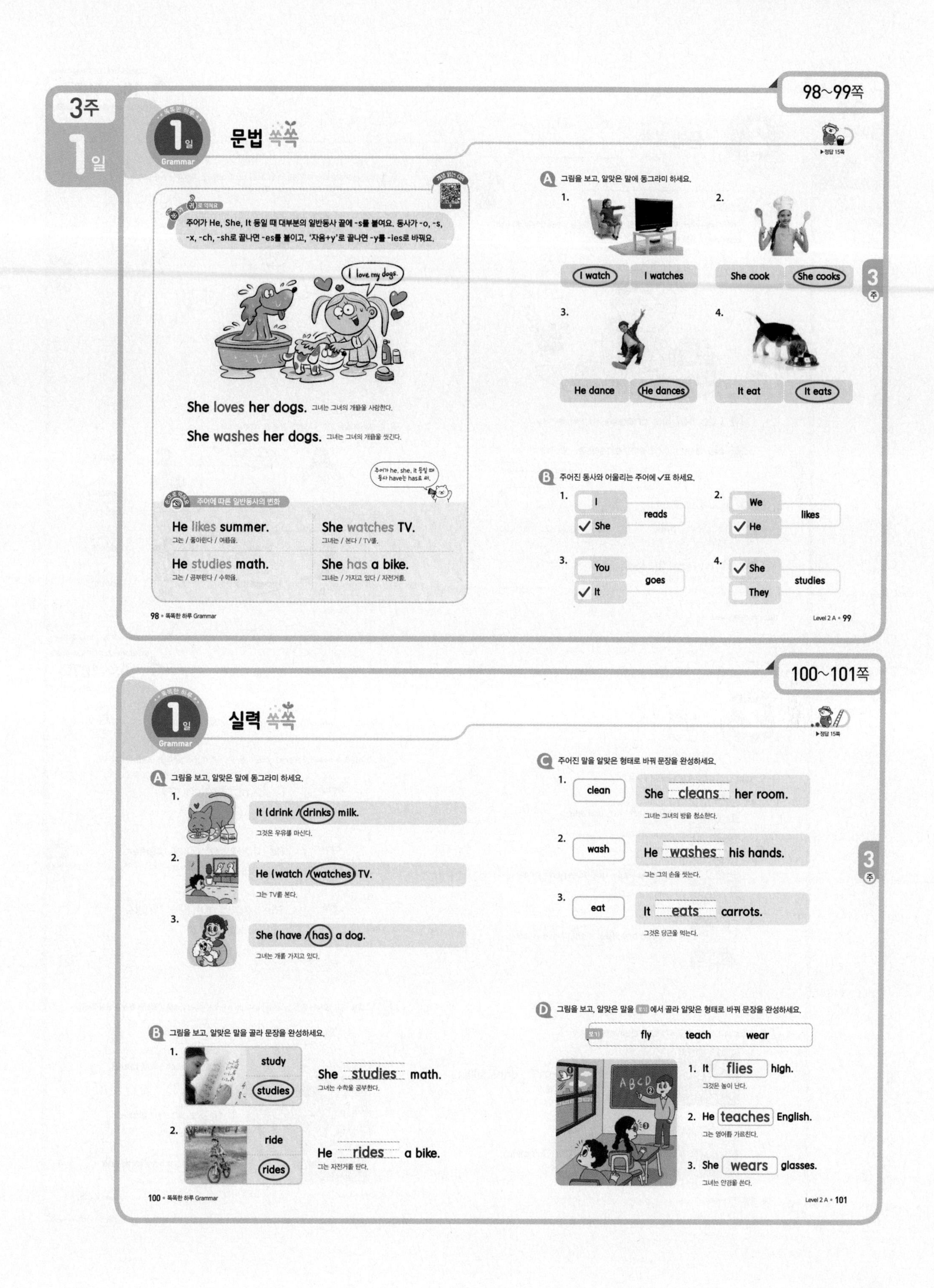

3주 1일

98~99쪽

1일 Grammar 문법 쏙쏙

주어가 He, She, It 등일 때 대부분의 일반동사 끝에 -s를 붙여요. 동사가 -o, -s, -x, -ch, -sh로 끝나면 -es를 붙이고, '자음+y'로 끝나면 -y를 -ies로 바꿔요.

I love my dogs.

She loves her dogs. 그녀는 그녀의 개들을 사랑한다.

She washes her dogs. 그녀는 그녀의 개들을 씻긴다.

주어가 he, she, it 등일 때 동사 have는 has로 써.

주어에 따른 일반동사의 변화

He likes summer. 그는 / 좋아한다 / 여름을.	She watches TV. 그녀는 / 본다 / TV를.
He studies math. 그는 / 공부한다 / 수학을.	She has a bike. 그녀는 / 가지고 있다 / 자전거를.

98 • 똑똑한 하루 Grammar

▶정답 15쪽

A 그림을 보고, 알맞은 말에 동그라미 하세요.

1. (I watch) / I watches
2. She cook / (She cooks)
3. He dance / (He dances)
4. It eat / (It eats)

B 주어진 동사와 어울리는 주어에 ✓표 하세요.

1. reads: I / ✓ She
2. likes: We / ✓ He
3. goes: You / ✓ It
4. studies: ✓ She / They

Level 2 A • 99

100~101쪽

1일 Grammar 실력 쑥쑥

A 그림을 보고, 알맞은 말에 동그라미 하세요.

1. It (drink / (drinks)) milk. 그것은 우유를 마신다.
2. He (watch / (watches)) TV. 그는 TV를 본다.
3. She (have / (has)) a dog. 그녀는 개를 가지고 있다.

B 그림을 보고, 알맞은 말을 골라 문장을 완성하세요.

1. study / (studies) — She studies math. 그녀는 수학을 공부한다.
2. ride / (rides) — He rides a bike. 그는 자전거를 탄다.

100 • 똑똑한 하루 Grammar

▶정답 15쪽

C 주어진 말을 알맞은 형태로 바꿔 문장을 완성하세요.

1. clean — She cleans her room. 그녀는 그녀의 방을 청소한다.
2. wash — He washes his hands. 그는 그의 손을 씻는다.
3. eat — It eats carrots. 그것은 당근을 먹는다.

D 그림을 보고, 알맞은 말을 보기에서 골라 알맞은 형태로 바꿔 문장을 완성하세요.

보기: fly teach wear

ABCD

1. It flies high. 그것은 높이 난다.
2. He teaches English. 그는 영어를 가르친다.
3. She wears glasses. 그녀는 안경을 쓴다.

Level 2 A • 101

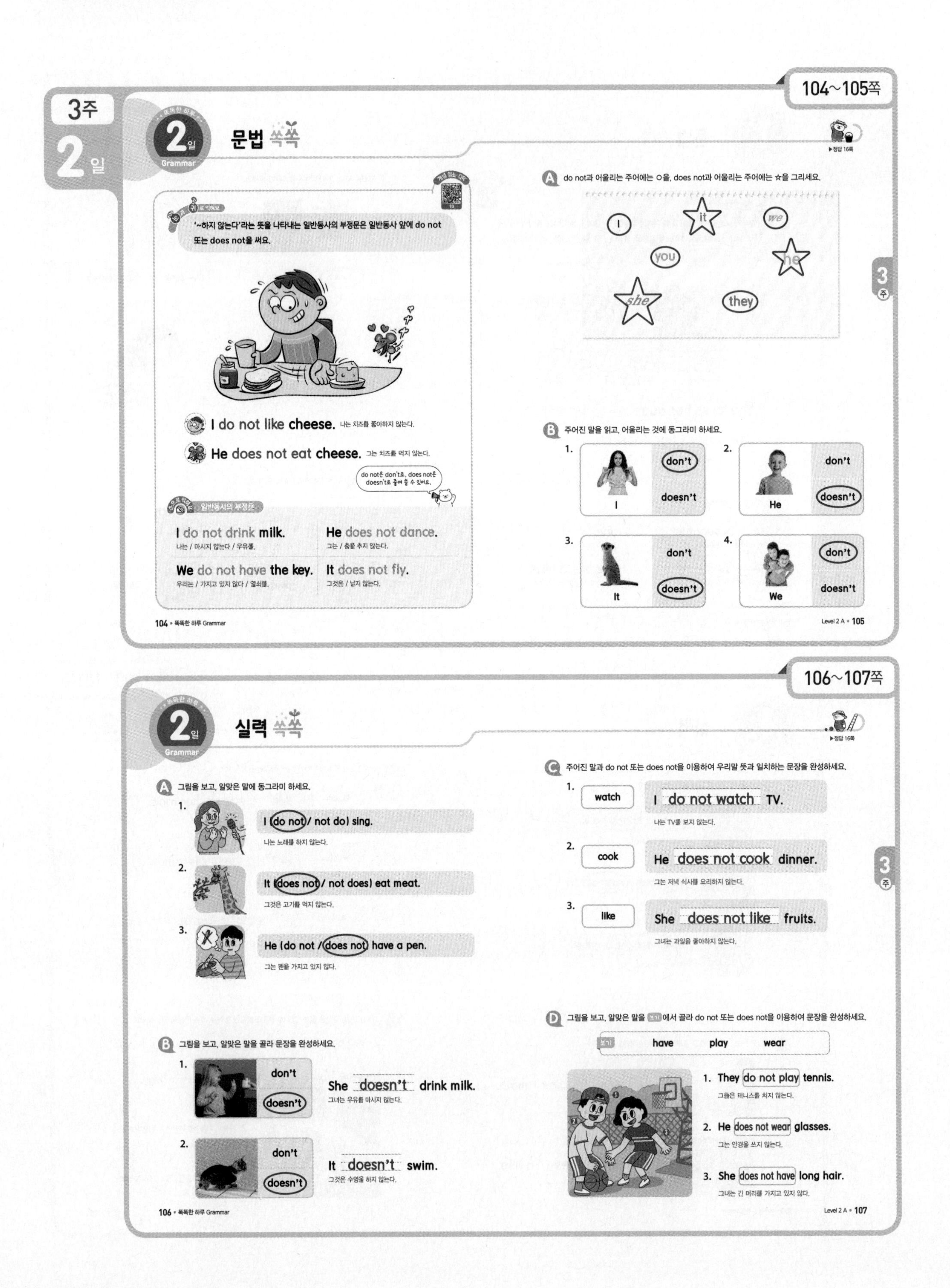

104~105쪽

3주 2일

2일 Grammar **문법 쏙쏙**

▶정답 16쪽

귀로 익혀요

'~하지 않는다'라는 뜻을 나타내는 일반동사의 부정문은 일반동사 앞에 do not 또는 does not을 써요.

I do not like **cheese.** 나는 치즈를 좋아하지 않는다.

He does not eat **cheese.** 그는 치즈를 먹지 않는다.

do not은 don't로, does not은 doesn't로 줄여 쓸 수 있어요.

눈으로 익혀요 일반동사의 부정문

I do not drink milk. 나는 / 마시지 않는다 / 우유를.	He does not dance. 그는 / 춤을 추지 않는다.
We do not have the key. 우리는 / 가지고 있지 않다 / 열쇠를.	It does not fly. 그것은 / 날지 않는다.

A do not과 어울리는 주어에는 ○을, does not과 어울리는 주어에는 ☆을 그리세요.

○ I, ☆ it, ○ we, ○ you, ☆ he, ☆ she, ○ they

B 주어진 말을 읽고, 어울리는 것에 동그라미 하세요.

1. I — (don't) / doesn't
2. He — don't / (doesn't)
3. It — don't / (doesn't)
4. We — (don't) / doesn't

104 • 똑똑한 하루 Grammar   Level 2 A • 105

106~107쪽

2일 Grammar **실력 쏙쏙**

▶정답 16쪽

A 그림을 보고, 알맞은 말에 동그라미 하세요.

1. I (do not / not do) sing. 나는 노래를 하지 않는다. — do not
2. It (does not / not does) eat meat. 그것은 고기를 먹지 않는다. — does not
3. He (do not / does not) have a pen. 그는 펜을 가지고 있지 않다. — does not

B 그림을 보고, 알맞은 말을 골라 문장을 완성하세요.

1. don't / (doesn't) — She doesn't drink milk. 그녀는 우유를 마시지 않는다.
2. don't / (doesn't) — It doesn't swim. 그것은 수영을 하지 않는다.

C 주어진 말과 do not 또는 does not을 이용하여 우리말 뜻과 일치하는 문장을 완성하세요.

1. watch — I do not watch TV. 나는 TV를 보지 않는다.
2. cook — He does not cook dinner. 그는 저녁 식사를 요리하지 않는다.
3. like — She does not like fruits. 그녀는 과일을 좋아하지 않는다.

D 그림을 보고, 알맞은 말을 보기에서 골라 do not 또는 does not을 이용하여 문장을 완성하세요.

보기: have play wear

1. They do not play tennis. 그들은 테니스를 치지 않는다.
2. He does not wear glasses. 그는 안경을 쓰지 않는다.
3. She does not have long hair. 그녀는 긴 머리를 가지고 있지 않다.

106 • 똑똑한 하루 Grammar   Level 2 A • 107

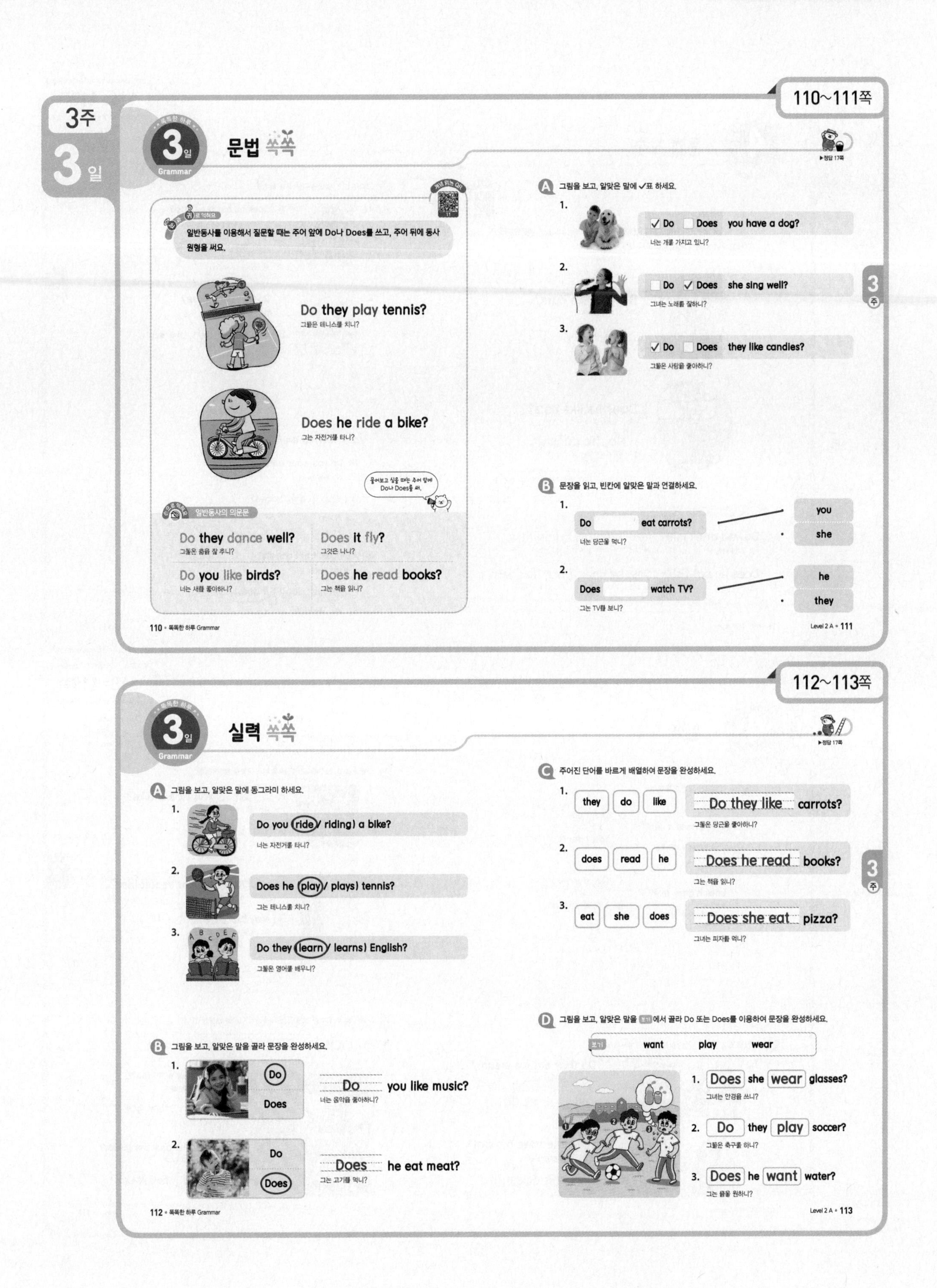

3주 3일

110~111쪽

3일 Grammar 문법 쏙쏙

귀로 익혀요

일반동사를 이용해서 질문할 때는 주어 앞에 Do나 Does를 쓰고, 주어 뒤에 동사 원형을 써요.

Do they play tennis?
그들은 테니스를 치니?

Does he ride a bike?
그는 자전거를 타니?

궁금하고 싶을 때는 주어 앞에 Do나 Does를 써.

일반동사의 의문문

Do they dance well? 그들은 춤을 잘 추니?	Does it fly? 그것은 나니?
Do you like birds? 너는 새를 좋아하니?	Does he read books? 그는 책을 읽니?

110 • 똑똑한 하루 Grammar

▶정답 17쪽

A 그림을 보고, 알맞은 말에 ✓표 하세요.

1. ✓ Do / Does you have a dog?
너는 개를 가지고 있니?

2. Do / ✓ Does she sing well?
그녀는 노래를 잘하니?

3. ✓ Do / Does they like candies?
그들은 사탕을 좋아하니?

B 문장을 읽고, 빈칸에 알맞은 말과 연결하세요.

1. Do ______ eat carrots? — you
너는 당근을 먹니?

2. Does ______ watch TV? — he
그는 TV를 보니?

Level 2 A • 111

112~113쪽

3일 Grammar 실력 쑥쑥

A 그림을 보고, 알맞은 말에 동그라미 하세요.

1. Do you (ride / riding) a bike? → ride
너는 자전거를 타니?

2. Does he (play / plays) tennis? → play
그는 테니스를 치니?

3. Do they (learn / learns) English? → learn
그들은 영어를 배우니?

B 그림을 보고, 알맞은 말을 골라 문장을 완성하세요.

1. (Do / Does) Do you like music?
너는 음악을 좋아하니?

2. (Do / Does) Does he eat meat?
그는 고기를 먹니?

112 • 똑똑한 하루 Grammar

▶정답 17쪽

C 주어진 단어를 바르게 배열하여 문장을 완성하세요.

1. they / do / like → Do they like carrots?
그들은 당근을 좋아하니?

2. does / read / he → Does he read books?
그는 책을 읽니?

3. eat / she / does → Does she eat pizza?
그녀는 피자를 먹니?

D 그림을 보고, 알맞은 말을 보기에서 골라 Do 또는 Does를 이용하여 문장을 완성하세요.

보기 want play wear

1. Does she wear glasses?
그녀는 안경을 쓰니?

2. Do they play soccer?
그들은 축구를 하니?

3. Does he want water?
그는 물을 원하니?

Level 2 A • 113

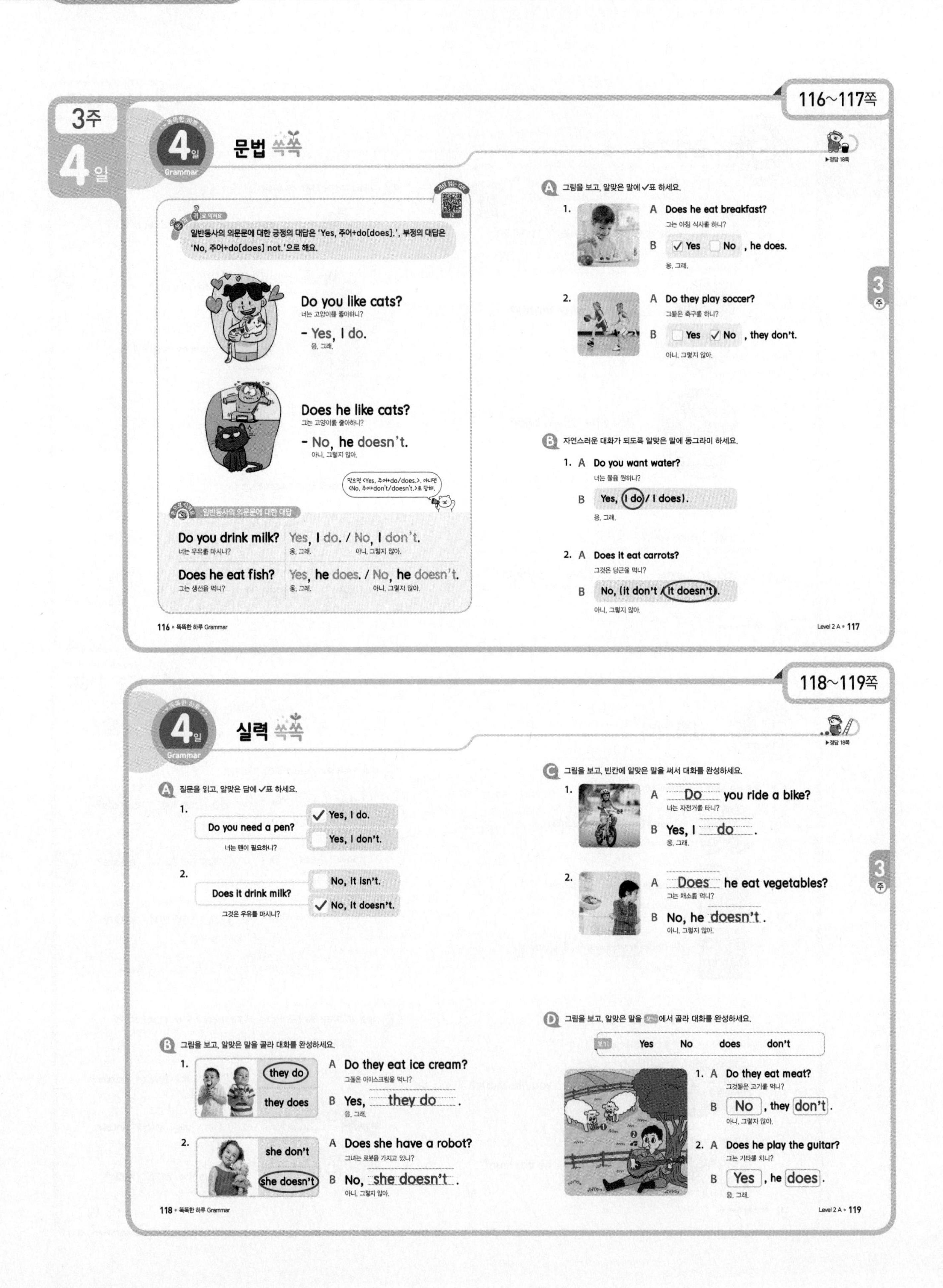

116~117쪽

3주 4일

4일 Grammar 문법 쏙쏙

▶정답 18쪽

눈·귀로 익혀요

일반동사의 의문문에 대한 긍정의 대답은 'Yes, 주어+do[does].', 부정의 대답은 'No, 주어+do[does] not.'으로 해요.

Do you like cats?
너는 고양이를 좋아하니?
- Yes, I do.
응, 그래.

Does he like cats?
그는 고양이를 좋아하니?
- No, he doesn't.
아니, 그렇지 않아.

맞으면 <Yes, 주어+do/does.>, 아니면 <No, 주어+don't/doesn't.>로 답해.

손으로 익혀요 일반동사의 의문문에 대한 대답

Do you drink milk? 너는 우유를 마시니?	Yes, I do. 응, 그래. / No, I don't. 아니, 그렇지 않아.
Does he eat fish? 그는 생선을 먹니?	Yes, he does. 응, 그래. / No, he doesn't. 아니, 그렇지 않아.

A 그림을 보고, 알맞은 말에 ✓표 하세요.

1. A Does he eat breakfast?
그는 아침 식사를 하니?
B ✓ Yes □ No , he does.
응, 그래.

2. A Do they play soccer?
그들은 축구를 하니?
B □ Yes ✓ No , they don't.
아니, 그렇지 않아.

B 자연스러운 대화가 되도록 알맞은 말에 동그라미 하세요.

1. A Do you want water?
너는 물을 원하니?
B Yes, (I do / I does).
응, 그래.

2. A Does it eat carrots?
그것은 당근을 먹니?
B No, (it don't / it doesn't).
아니, 그렇지 않아.

116 • 똑똑한 하루 Grammar   Level 2 A • 117

118~119쪽

4일 Grammar 실력 쑥쑥

▶정답 18쪽

A 질문을 읽고, 알맞은 답에 ✓표 하세요.

1. Do you need a pen? 너는 펜이 필요하니?
✓ Yes, I do.
□ Yes, I don't.

2. Does it drink milk? 그것은 우유를 마시니?
□ No, it isn't.
✓ No, it doesn't.

B 그림을 보고, 알맞은 말을 골라 대화를 완성하세요.

1. (they do / they does)
A Do they eat ice cream?
그들은 아이스크림을 먹니?
B Yes, they do.
응, 그래.

2. (she don't / she doesn't)
A Does she have a robot?
그녀는 로봇을 가지고 있니?
B No, she doesn't.
아니, 그렇지 않아.

C 그림을 보고, 빈칸에 알맞은 말을 써서 대화를 완성하세요.

1. A Do you ride a bike?
너는 자전거를 타니?
B Yes, I do.
응, 그래.

2. A Does he eat vegetables?
그는 채소를 먹니?
B No, he doesn't.
아니, 그렇지 않아.

D 그림을 보고, 알맞은 말을 보기에서 골라 대화를 완성하세요.

보기 Yes No does don't

1. A Do they eat meat?
그것들은 고기를 먹니?
B No, they don't.
아니, 그렇지 않아.

2. A Does he play the guitar?
그는 기타를 치니?
B Yes, he does.
응, 그래.

118 • 똑똑한 하루 Grammar   Level 2 A • 119

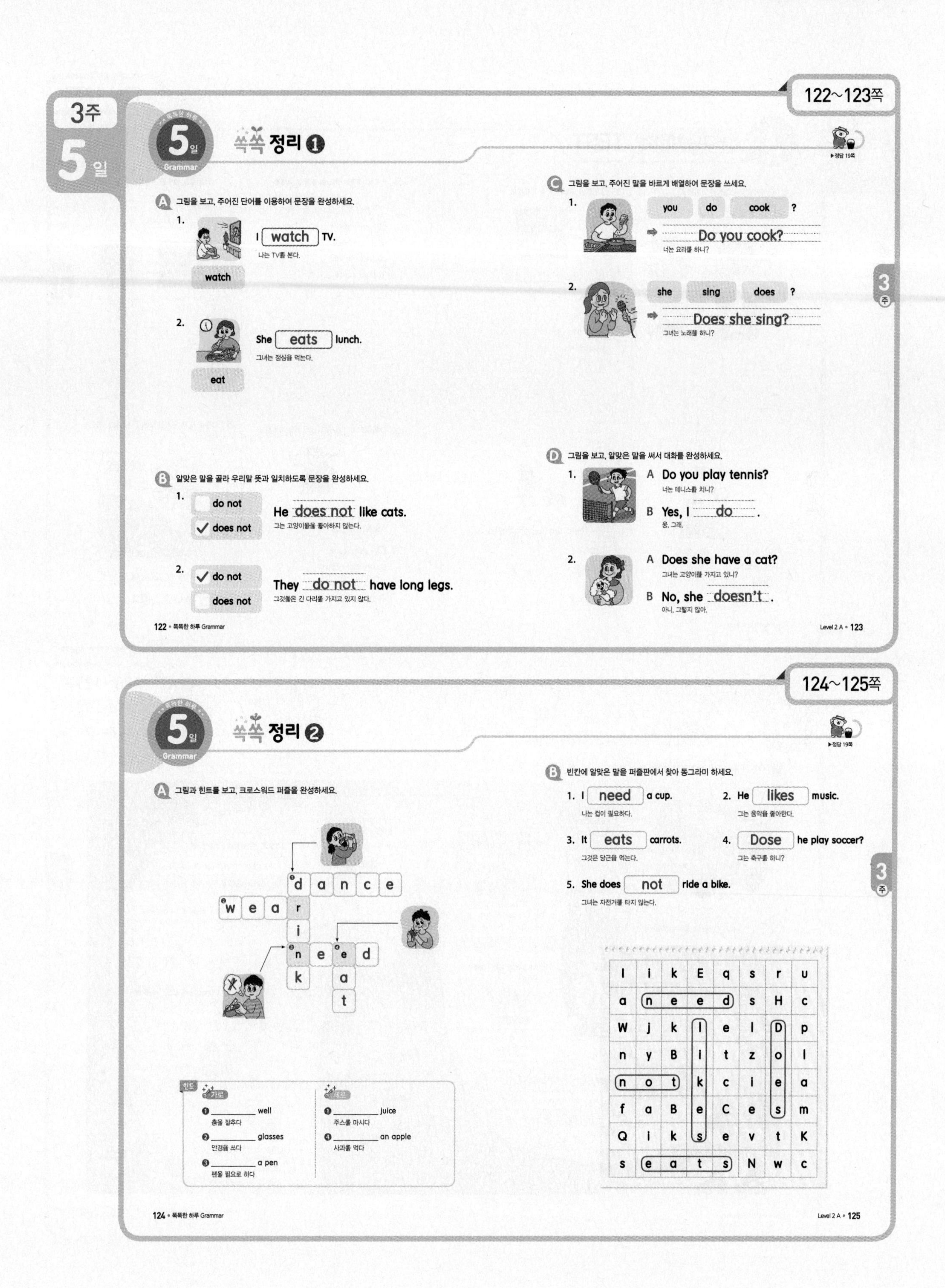

3주 5일

122~123쪽

5일 Grammar

쏙쏙 정리 ❶

▶정답 19쪽

A 그림을 보고, 주어진 단어를 이용하여 문장을 완성하세요.

1. I [watch] TV.
나는 TV를 본다.
watch

2. She [eats] lunch.
그녀는 점심을 먹는다.
eat

B 알맞은 말을 골라 우리말 뜻과 일치하도록 문장을 완성하세요.

1. do not / ✓ does not
He does not like cats.
그는 고양이들을 좋아하지 않는다.

2. ✓ do not / does not
They do not have long legs.
그것들은 긴 다리를 가지고 있지 않다.

C 그림을 보고, 주어진 말을 바르게 배열하여 문장을 쓰세요.

1. you / do / cook / ?
➡ Do you cook?
너는 요리를 하니?

2. she / sing / does / ?
➡ Does she sing?
그녀는 노래를 하니?

D 그림을 보고, 알맞은 말을 써서 대화를 완성하세요.

1. A Do you play tennis?
너는 테니스를 치니?
B Yes, I do.
응, 그래.

2. A Does she have a cat?
그녀는 고양이를 가지고 있니?
B No, she doesn't.
아니, 그렇지 않아.

122 • 똑똑한 하루 Grammar
Level 2 A • 123

124~125쪽

5일 Grammar

쏙쏙 정리 ❷

▶정답 19쪽

A 그림과 힌트를 보고, 크로스워드 퍼즐을 완성하세요.

❶ dance (가로), ❷ wear (가로), ❸ need (가로)
❶ drink (세로), ❹ eat (세로)

힌트
가로
❶ ______ well
춤을 잘 추다
❷ ______ glasses
안경을 쓰다
❸ ______ a pen
펜을 필요로 하다

세로
❶ ______ juice
주스를 마시다
❹ ______ an apple
사과를 먹다

B 빈칸에 알맞은 말을 퍼즐판에서 찾아 동그라미 하세요.

1. I [need] a cup.
나는 컵이 필요하다.

2. He [likes] music.
그는 음악을 좋아한다.

3. It [eats] carrots.
그것은 당근을 먹는다.

4. [Dose] he play soccer?
그는 축구를 하니?

5. She does [not] ride a bike.
그녀는 자전거를 타지 않는다.

l	i	k	E	q	s	r	u
a	n	e	e	d	s	H	c
W	j	k	l	e	l	D	p
n	y	B	i	t	z	o	l
n	o	t	k	c	i	e	a
f	a	B	e	C	e	s	m
Q	i	k	s	e	v	t	K
s	e	a	t	s	N	w	c

124 • 똑똑한 하루 Grammar
Level 2 A • 125

126~127쪽

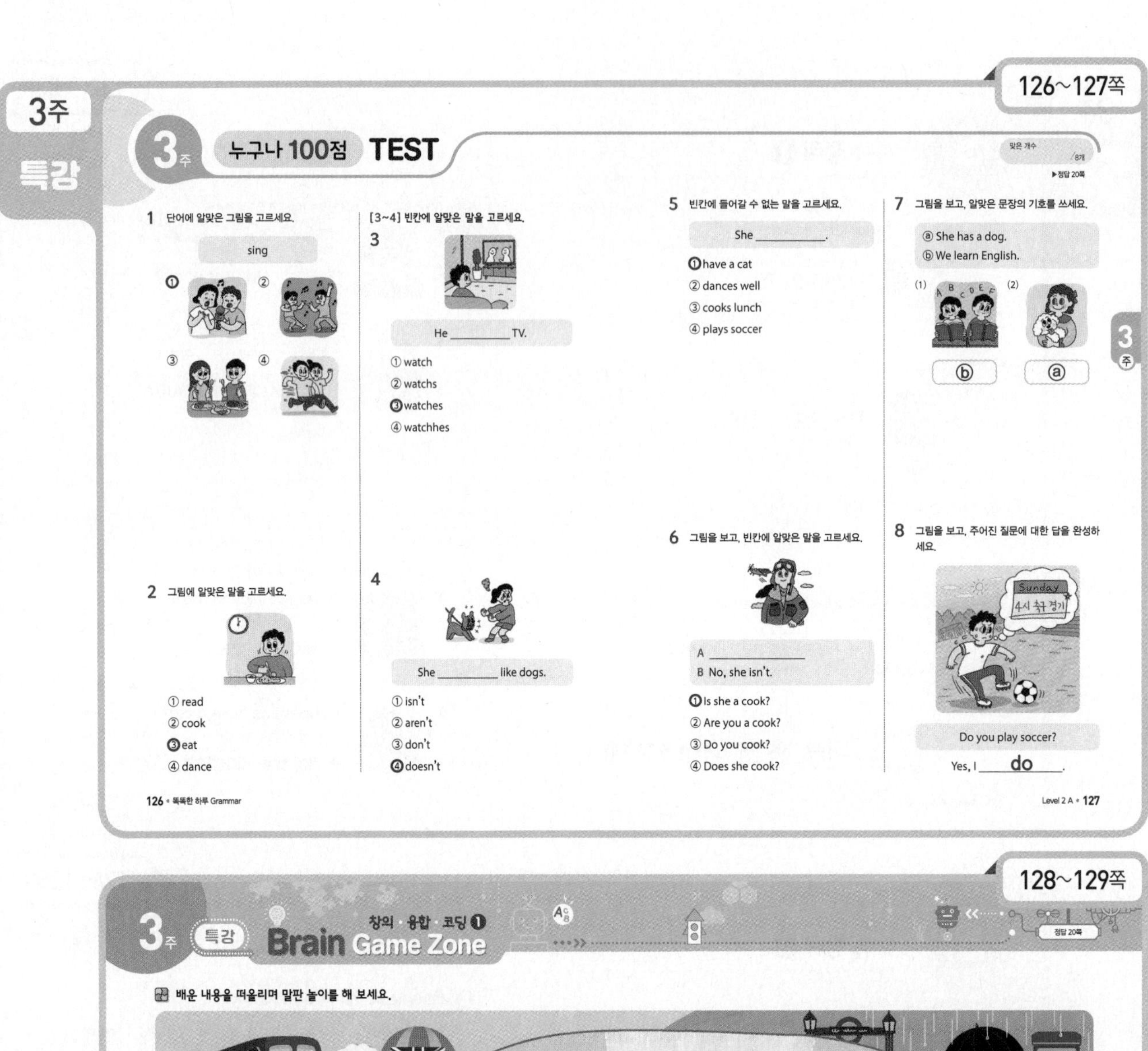
3주 특강

3주 누구나 100점 TEST

맞은 개수 /8개

▶정답 20쪽

1 단어에 알맞은 그림을 고르세요.

sing

❶ ② ③ ④

2 그림에 알맞은 말을 고르세요.

① read
② cook
❸ eat
④ dance

[3~4] 빈칸에 알맞은 말을 고르세요.

3 He ________ TV.

① watch
② watchs
❸ watches
④ watchhes

4 She ________ like dogs.

① isn't
② aren't
③ don't
❹ doesn't

5 빈칸에 들어갈 수 없는 말을 고르세요.

She ________.

❶ have a cat
② dances well
③ cooks lunch
④ plays soccer

6 그림을 보고, 빈칸에 알맞은 말을 고르세요.

A ________
B No, she isn't.

❶ Is she a cook?
② Are you a cook?
③ Do you cook?
④ Does she cook?

7 그림을 보고, 알맞은 문장의 기호를 쓰세요.

ⓐ She has a dog.
ⓑ We learn English.

(1) ⓑ (2) ⓐ

8 그림을 보고, 주어진 질문에 대한 답을 완성하세요.

Do you play soccer?

Yes, I __do__.

126 • 똑똑한 하루 Grammar

Level 2 A • 127

128~129쪽

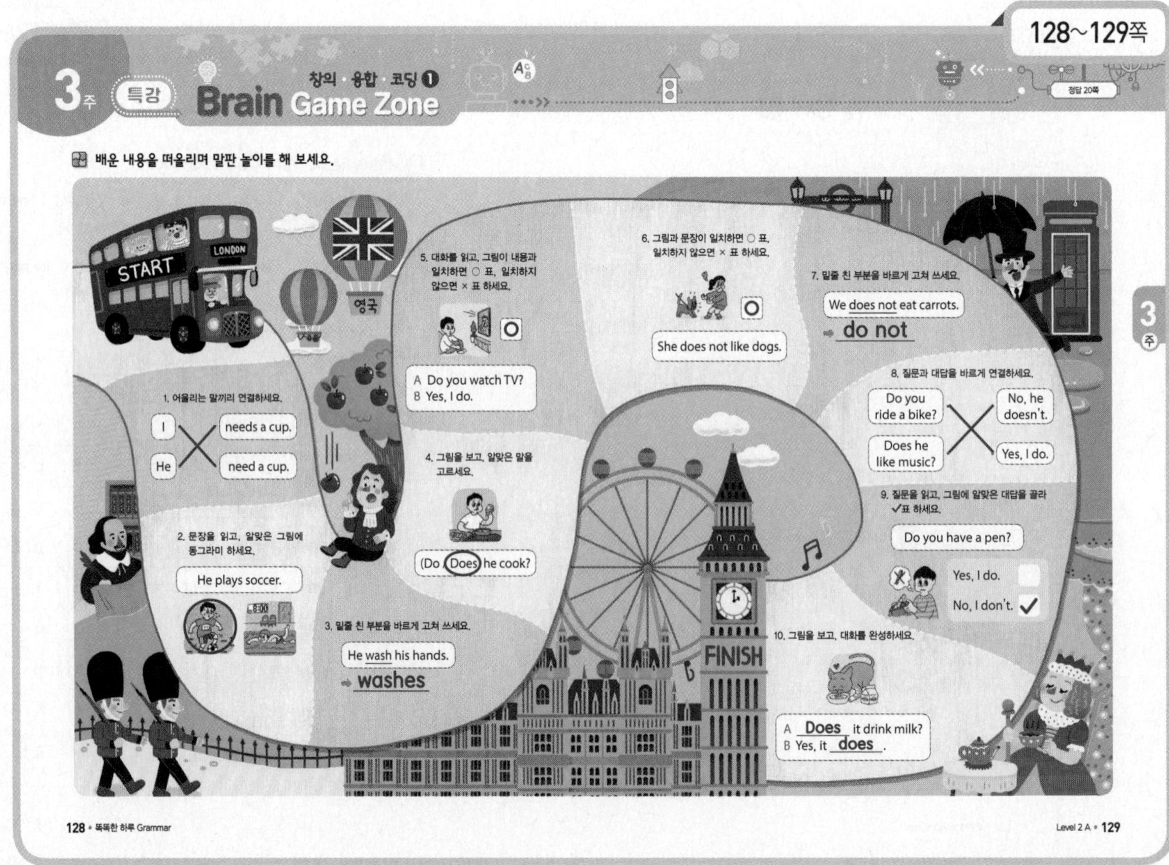
3주 특강 창의 · 융합 · 코딩 ❶ Brain Game Zone

정답 20쪽

배운 내용을 떠올리며 말판 놀이를 해 보세요.

1. 어울리는 말끼리 연결하세요.

I — need a cup.
He — needs a cup.

2. 문장을 읽고, 알맞은 그림에 동그라미 하세요.

He plays soccer.

3. 밑줄 친 부분을 바르게 고쳐 쓰세요.

He wash his hands.
➡ washes

4. 그림을 보고, 알맞은 말을 고르세요.

(Do / Does) he cook? — Does

5. 대화를 읽고, 그림이 내용과 일치하면 ○ 표, 일치하지 않으면 × 표 하세요.

A Do you watch TV?
B Yes, I do.

○

6. 그림과 문장이 일치하면 ○ 표, 일치하지 않으면 × 표 하세요.

She does not like dogs.

○

7. 밑줄 친 부분을 바르게 고쳐 쓰세요.

We does not eat carrots.
➡ do not

8. 질문과 대답을 바르게 연결하세요.

Do you ride a bike? — Yes, I do.
Does he like music? — No, he doesn't.

9. 질문을 읽고, 그림에 알맞은 대답을 골라 ✓표 하세요.

Do you have a pen?

Yes, I do.
No, I don't. ✓

10. 그림을 보고, 대화를 완성하세요.

A __Does__ it drink milk?
B Yes, it __does__.

128 • 똑똑한 하루 Grammar

Level 2 A • 129

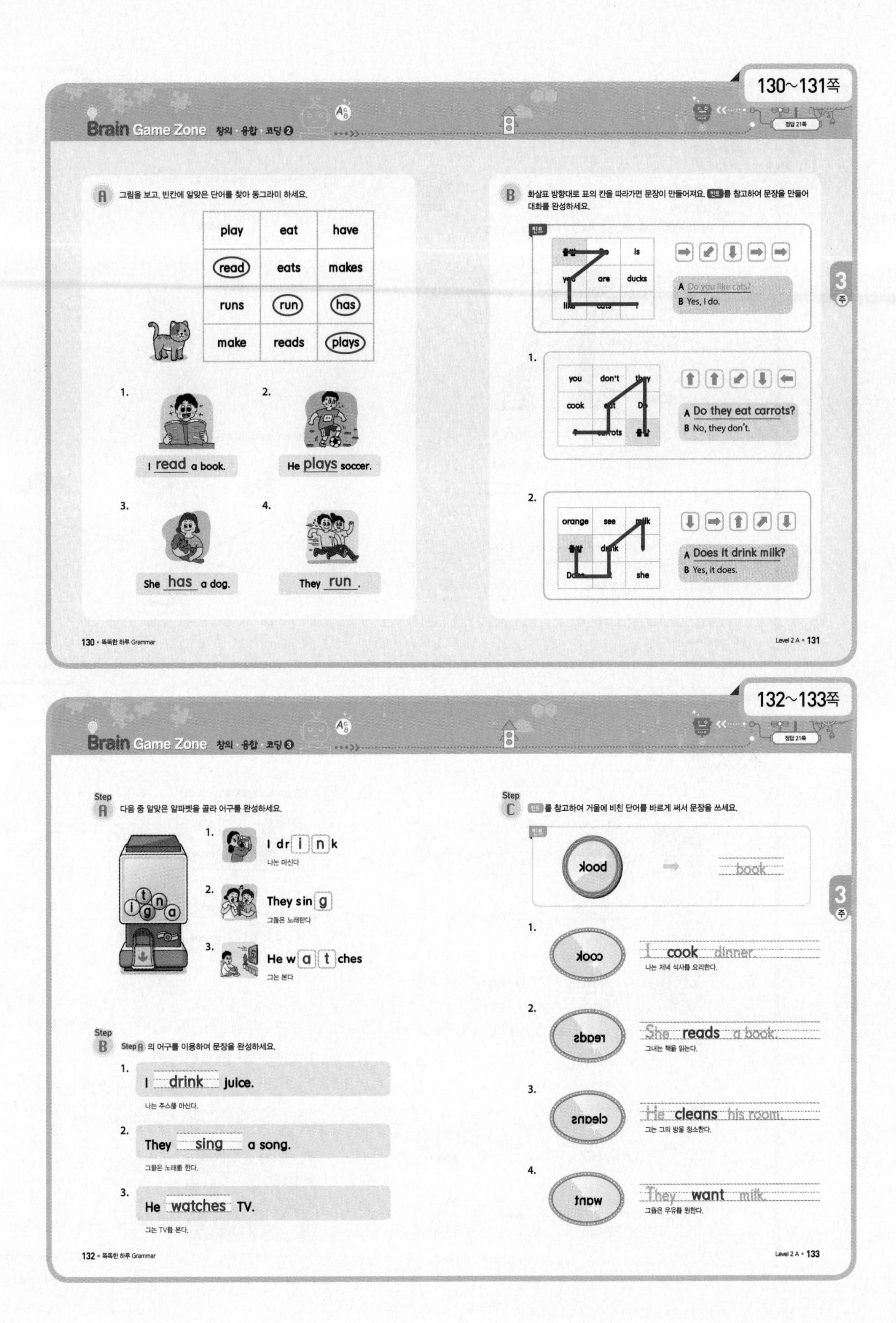

130~131쪽

Brain Game Zone 창의 · 융합 · 코딩 ❷

정답 21쪽

A 그림을 보고, 빈칸에 알맞은 단어를 찾아 동그라미 하세요.

play	eat	have
(read)	eats	makes
runs	(run)	(has)
make	reads	(plays)

1. I read a book.
2. He plays soccer.
3. She has a dog.
4. They run.

B 화살표 방향대로 표의 칸을 따라가면 문장이 만들어져요. 힌트를 참고하여 문장을 만들어 대화를 완성하세요.

힌트

A Do you like cats?
B Yes, I do.

1. A Do they eat carrots?
B No, they don't.

2. A Does it drink milk?
B Yes, it does.

130 • 똑똑한 하루 Grammar

Level 2 A • 131

132~133쪽

Brain Game Zone 창의 · 융합 · 코딩 ❸

정답 21쪽

Step **A** 다음 중 알맞은 알파벳을 골라 어구를 완성하세요.

1. I dr[i][n]k
나는 마신다
2. They sin[g]
그들은 노래한다
3. He w[a][t]ches
그는 본다

Step **B** Step A 의 어구를 이용하여 문장을 완성하세요.

1. I drink juice.
나는 주스를 마신다.
2. They sing a song.
그들은 노래를 한다.
3. He watches TV.
그는 TV를 본다.

Step **C** 힌트를 참고하여 거울에 비친 단어를 바르게 써서 문장을 쓰세요.

힌트 → book

1. I cook dinner.
나는 저녁 식사를 요리한다.
2. She reads a book.
그녀는 책을 읽는다.
3. He cleans his room.
그는 그의 방을 청소한다.
4. They want milk.
그들은 우유를 원한다.

132 • 똑똑한 하루 Grammar

Level 2 A • 133

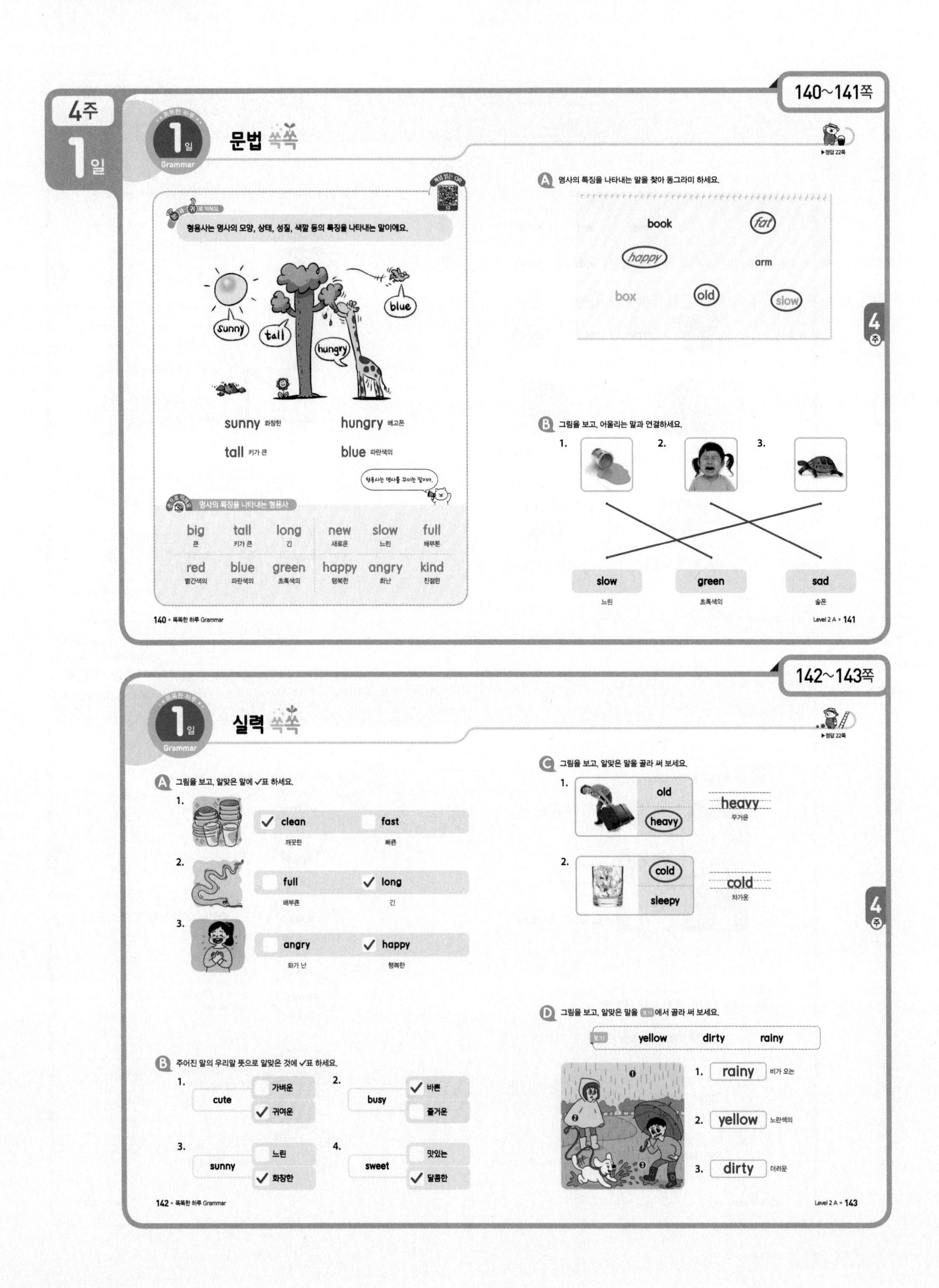
140~141쪽
4주 1일
1일 Grammar
문법 쏙쏙
형용사는 명사의 모양, 상태, 성질, 색깔 등의 특징을 나타내는 말이에요.
sunny
tall
hungry
blue
sunny 화창한
hungry 배고픈
tall 키가 큰
blue 파란색의
명사의 특징을 나타내는 형용사
big 큰
tall 키가 큰
long 긴
new 새로운
slow 느린
full 배부른
red 빨간색의
blue 파란색의
green 초록색의
happy 행복한
angry 화난
kind 친절한
140 • 똑똑한 하루 Grammar
A 명사의 특징을 나타내는 말을 찾아 동그라미 하세요.
book
fat
happy
arm
box
old
slow
B 그림을 보고, 어울리는 말과 연결하세요.
1.
2.
3.
slow 느린
green 초록색의
sad 슬픈
Level 2 A • 141
142~143쪽
1일 Grammar
실력 쑥쑥
A 그림을 보고, 알맞은 말에 ✓표 하세요.
1. ✓ clean 깨끗한 / fast 빠른
2. full 배부른 / ✓ long 긴
3. angry 화가 난 / ✓ happy 행복한
B 주어진 말의 우리말 뜻으로 알맞은 것에 ✓표 하세요.
1. cute: 가벼운 / ✓ 귀여운
2. busy: ✓ 바쁜 / 즐거운
3. sunny: 느린 / ✓ 화창한
4. sweet: 맛있는 / ✓ 달콤한
142 • 똑똑한 하루 Grammar
C 그림을 보고, 알맞은 말을 골라 써 보세요.
1. old / heavy — heavy 무거운
2. cold / sleepy — cold 차가운
D 그림을 보고, 알맞은 말을 보기에서 골라 써 보세요.
보기 yellow dirty rainy
1. rainy 비가 오는
2. yellow 노란색의
3. dirty 더러운
Level 2 A • 143

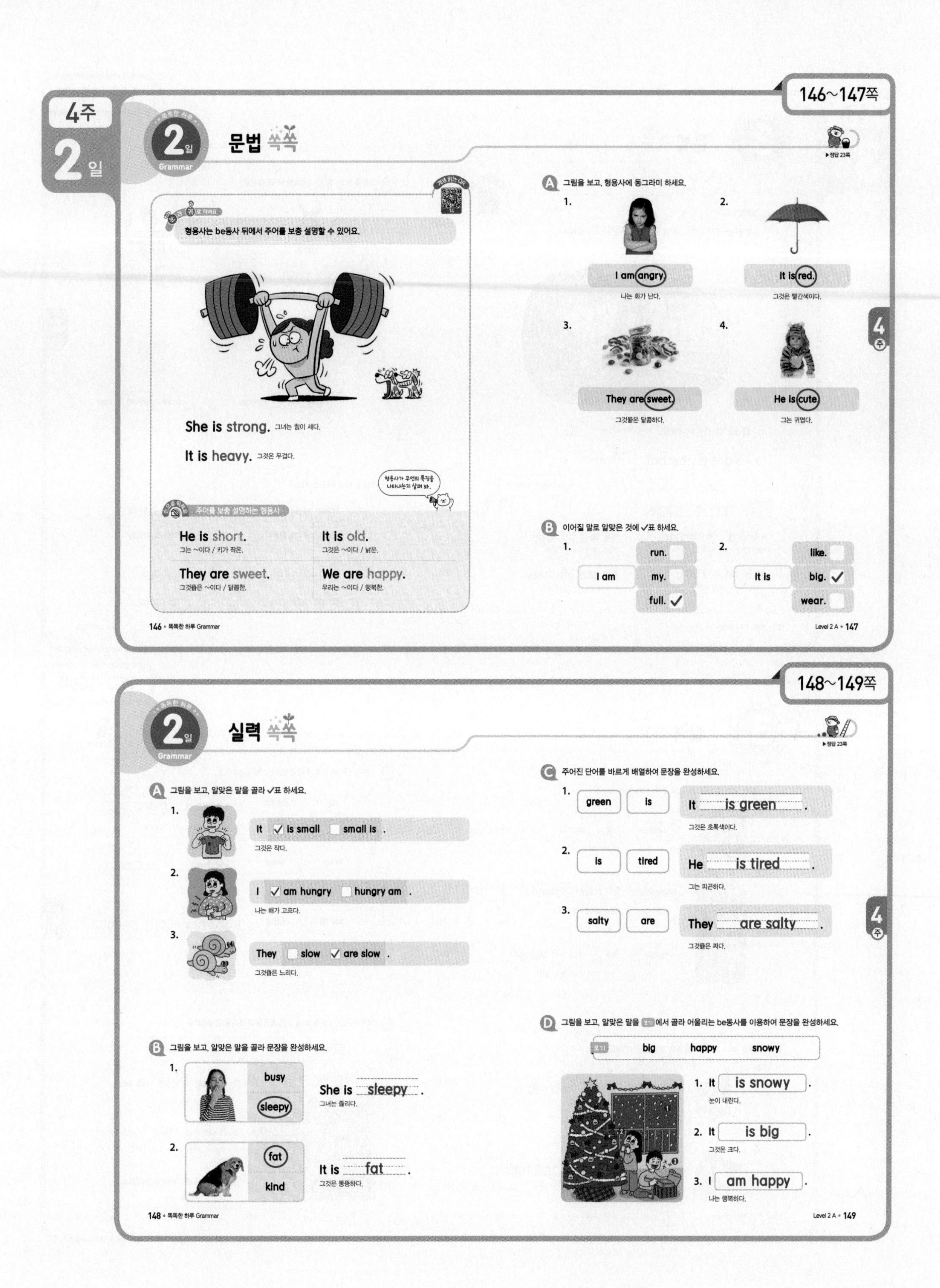

4주 2일

146~147쪽

2일 Grammar

문법 쏙쏙

▶정답 23쪽

형용사는 be동사 뒤에서 주어를 보충 설명할 수 있어요.

She is strong. 그녀는 힘이 세다.

It is heavy. 그것은 무겁다.

형용사가 주어의 특징을 나타내는지 살펴 봐.

주어를 보충 설명하는 형용사

He is short. 그는 ~이다 / 키가 작은.	It is old. 그것은 ~이다 / 낡은.
They are sweet. 그것들은 ~이다 / 달콤한.	We are happy. 우리는 ~이다 / 행복한.

A 그림을 보고, 형용사에 동그라미 하세요.

1. I am (angry). 나는 화가 난다.
2. It is (red). 그것은 빨간색이다.
3. They are (sweet). 그것들은 달콤하다.
4. He is (cute). 그는 귀엽다.

B 이어질 말로 알맞은 것에 ✓표 하세요.

1. I am — run. / my. / full. ✓
2. It is — like. / big. ✓ / wear.

146 • 똑똑한 하루 Grammar

Level 2 A • 147

148~149쪽

2일 Grammar

실력 쏙쏙

▶정답 23쪽

A 그림을 보고, 알맞은 말을 골라 ✓표 하세요.

1. It ✓ is small / small is . 그것은 작다.
2. I ✓ am hungry / hungry am . 나는 배가 고프다.
3. They slow / ✓ are slow . 그것들은 느리다.

B 그림을 보고, 알맞은 말을 골라 문장을 완성하세요.

1. busy / (sleepy) — She is sleepy . 그녀는 졸리다.
2. (fat) / kind — It is fat . 그것은 통통하다.

C 주어진 단어를 바르게 배열하여 문장을 완성하세요.

1. green / is — It is green . 그것은 초록색이다.
2. is / tired — He is tired . 그는 피곤하다.
3. salty / are — They are salty . 그것들은 짜다.

D 그림을 보고, 알맞은 말을 보기에서 골라 어울리는 be동사를 이용하여 문장을 완성하세요.

보기 big happy snowy

1. It is snowy . 눈이 내린다.
2. It is big . 그것은 크다.
3. I am happy . 나는 행복하다.

148 • 똑똑한 하루 Grammar

Level 2 A • 149

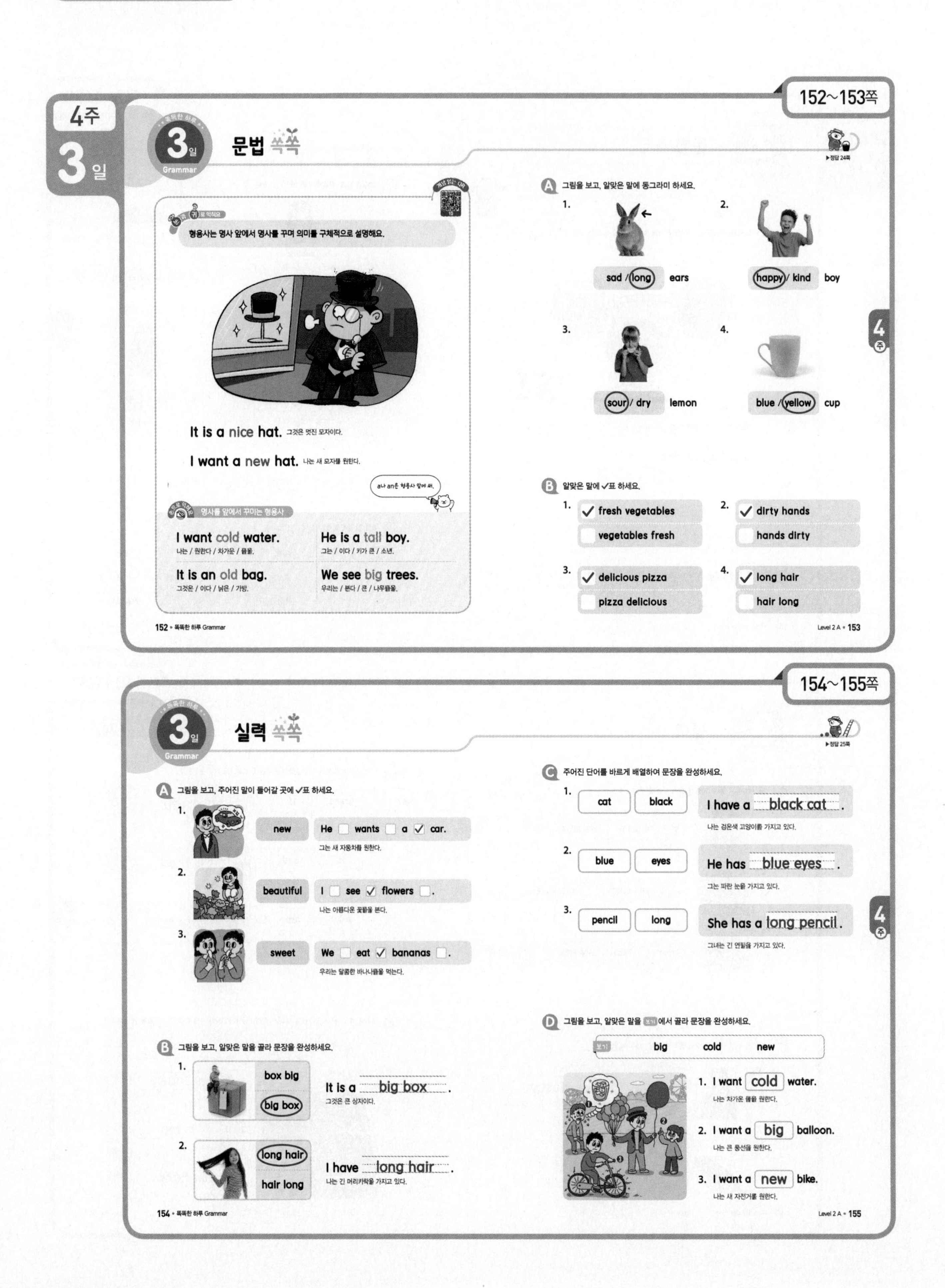

4주 3일

152~153쪽

3일 문법 쏙쏙

형용사는 명사 앞에서 명사를 꾸며 의미를 구체적으로 설명해요.

It is a nice hat. 그것은 멋진 모자이다.

I want a new hat. 나는 새 모자를 원한다.

a나 an은 형용사 앞에 써.

명사를 앞에서 꾸미는 형용사

I want cold water. 나는 / 원한다 / 차가운 / 물을.	He is a tall boy. 그는 / 이다 / 키가 큰 / 소년.
It is an old bag. 그것은 / 이다 / 낡은 / 가방.	We see big trees. 우리는 / 본다 / 큰 / 나무들을.

A 그림을 보고, 알맞은 말에 동그라미 하세요.

1. sad / (long) ears
2. (happy) / kind boy
3. (sour) / dry lemon
4. blue / (yellow) cup

B 알맞은 말에 ✓표 하세요.

1. ✓ fresh vegetables / vegetables fresh
2. ✓ dirty hands / hands dirty
3. ✓ delicious pizza / pizza delicious
4. ✓ long hair / hair long

152 • 똑똑한 하루 Grammar · Level 2 A • 153

154~155쪽

3일 실력 쑥쑥

A 그림을 보고, 주어진 말이 들어갈 곳에 ✓표 하세요.

1. new — He □ wants □ a ✓ car. 그는 새 자동차를 원한다.
2. beautiful — I □ see ✓ flowers □. 나는 아름다운 꽃들을 본다.
3. sweet — We □ eat ✓ bananas □. 우리는 달콤한 바나나들을 먹는다.

B 그림을 보고, 알맞은 말을 골라 문장을 완성하세요.

1. box big / (big box) — It is a big box. 그것은 큰 상자이다.
2. (long hair) / hair long — I have long hair. 나는 긴 머리카락을 가지고 있다.

C 주어진 단어를 바르게 배열하여 문장을 완성하세요.

1. cat, black — I have a black cat. 나는 검은색 고양이를 가지고 있다.
2. blue, eyes — He has blue eyes. 그는 파란 눈을 가지고 있다.
3. pencil, long — She has a long pencil. 그녀는 긴 연필을 가지고 있다.

D 그림을 보고, 알맞은 말을 보기에서 골라 문장을 완성하세요.

보기: big cold new

1. I want cold water. 나는 차가운 물을 원한다.
2. I want a big balloon. 나는 큰 풍선을 원한다.
3. I want a new bike. 나는 새 자전거를 원한다.

154 • 똑똑한 하루 Grammar · Level 2 A • 155

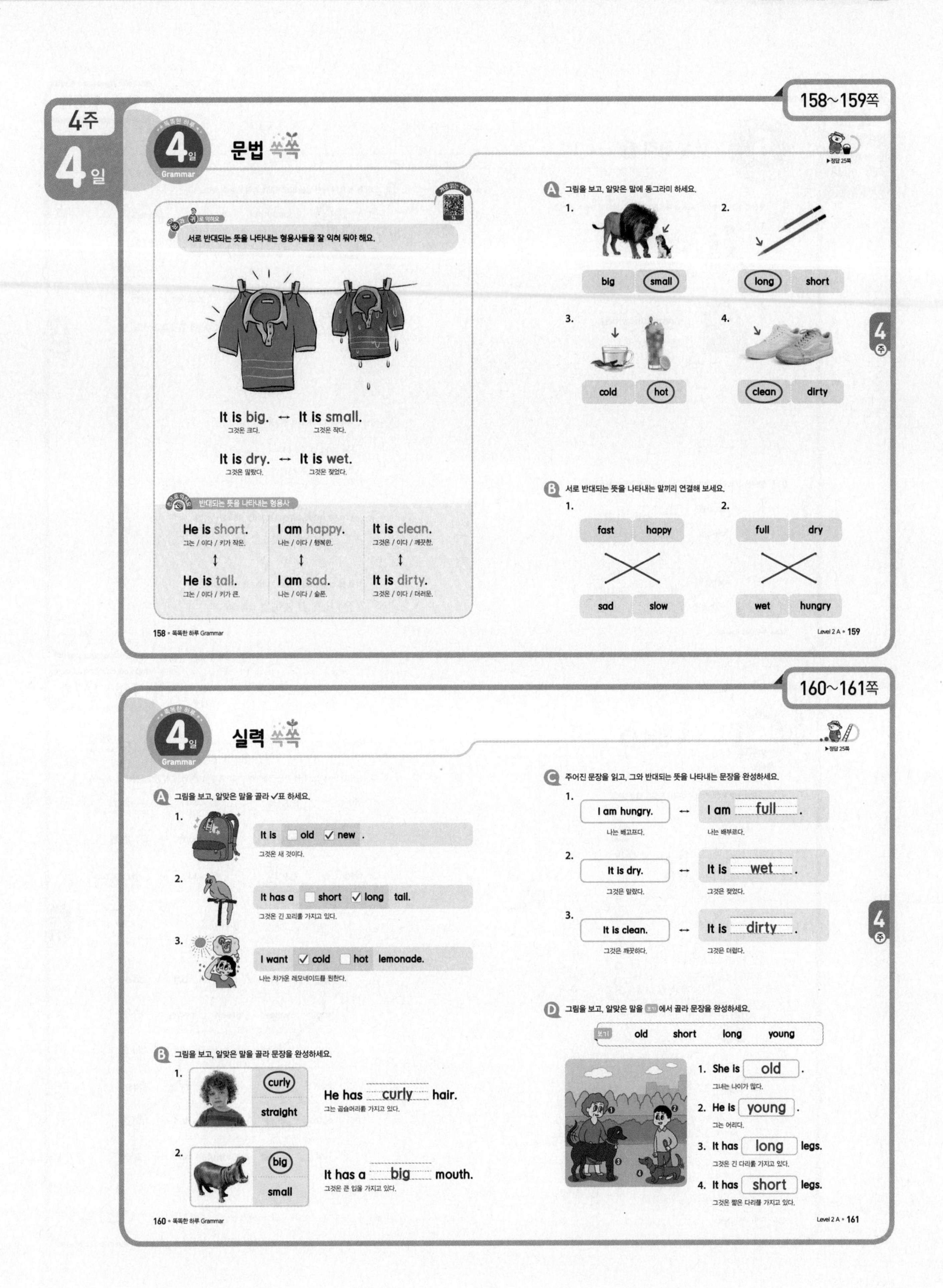

4주 4일

158~159쪽

4일 Grammar 문법 쏙쏙

쏙쏙 귀로 익혀요

서로 반대되는 뜻을 나타내는 형용사들을 잘 익혀 둬야 해요.

It is big. ↔ It is small.
그것은 크다. 그것은 작다.

It is dry. ↔ It is wet.
그것은 말랐다. 그것은 젖었다.

반대되는 뜻을 나타내는 형용사

He is short. 그는 / 이다 / 키가 작은.
↕
He is tall. 그는 / 이다 / 키가 큰.

I am happy. 나는 / 이다 / 행복한.
↕
I am sad. 나는 / 이다 / 슬픈.

It is clean. 그것은 / 이다 / 깨끗한.
↕
It is dirty. 그것은 / 이다 / 더러운.

▶정답 25쪽

A 그림을 보고, 알맞은 말에 동그라미 하세요.

1. big / (small)
2. (long) / short
3. cold / (hot)
4. (clean) / dirty

B 서로 반대되는 뜻을 나타내는 말끼리 연결해 보세요.

1. fast – slow, happy – sad
2. full – hungry, dry – wet

158 • 똑똑한 하루 Grammar · Level 2 A • 159

160~161쪽

4일 Grammar 실력 쏙쏙

A 그림을 보고, 알맞은 말을 골라 ✓표 하세요.

1. It is ☐ old ☑ new .
그것은 새 것이다.
2. It has a ☐ short ☑ long tail.
그것은 긴 꼬리를 가지고 있다.
3. I want ☑ cold ☐ hot lemonade.
나는 차가운 레모네이드를 원한다.

B 그림을 보고, 알맞은 말을 골라 문장을 완성하세요.

1. (curly) / straight — He has curly hair.
그는 곱슬머리를 가지고 있다.
2. (big) / small — It has a big mouth.
그것은 큰 입을 가지고 있다.

▶정답 25쪽

C 주어진 문장을 읽고, 그와 반대되는 뜻을 나타내는 문장을 완성하세요.

1. I am hungry. ↔ I am full.
나는 배고프다. 나는 배부르다.
2. It is dry. ↔ It is wet.
그것은 말랐다. 그것은 젖었다.
3. It is clean. ↔ It is dirty.
그것은 깨끗하다. 그것은 더럽다.

D 그림을 보고, 알맞은 말을 보기에서 골라 문장을 완성하세요.

보기 old short long young

1. She is old.
그녀는 나이가 많다.
2. He is young.
그는 어리다.
3. It has long legs.
그것은 긴 다리를 가지고 있다.
4. It has short legs.
그것은 짧은 다리를 가지고 있다.

160 • 똑똑한 하루 Grammar · Level 2 A • 161

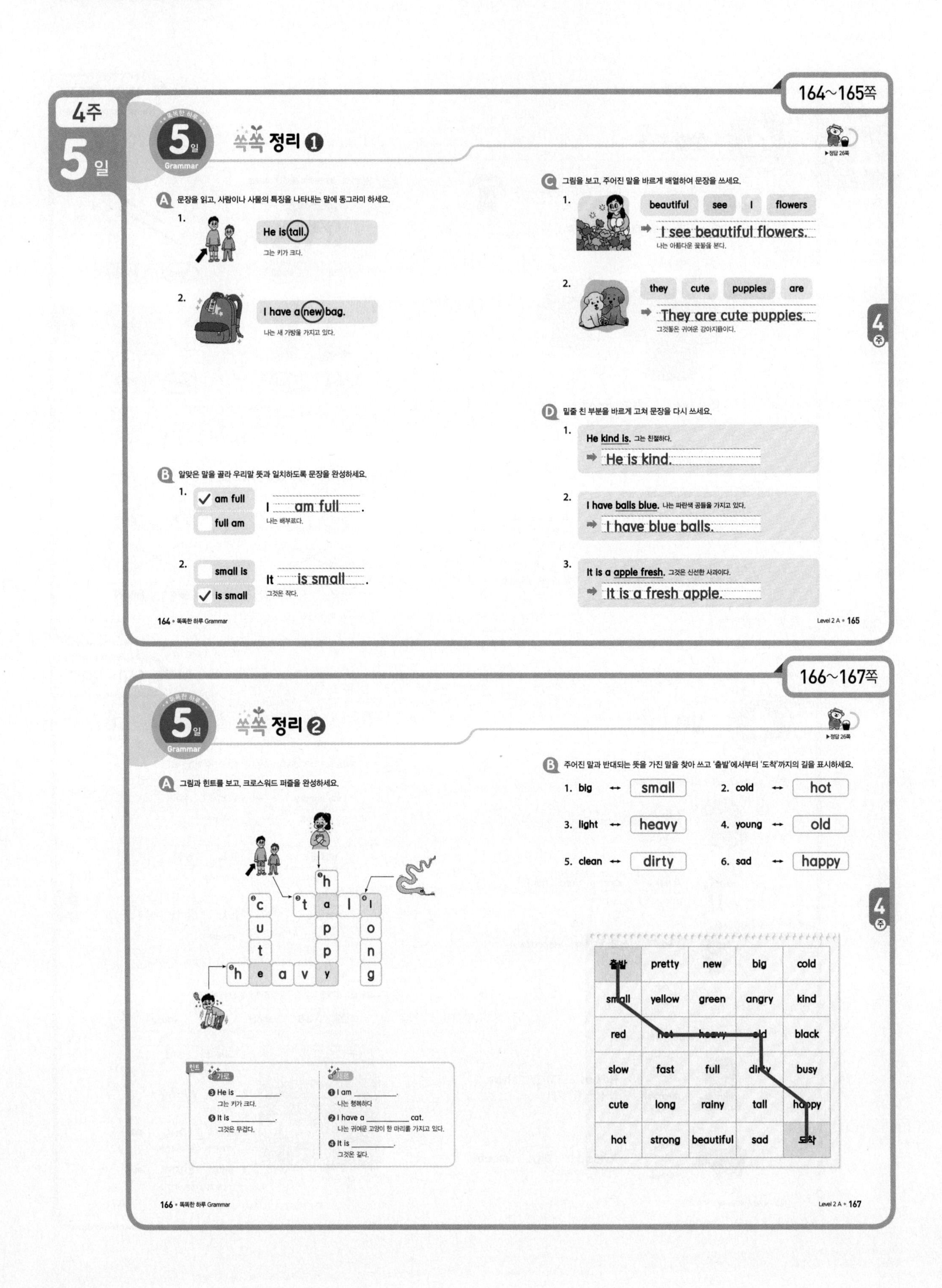

4주 5일

164~165쪽

5일 Grammar

쏙쏙 정리 ❶

▶정답 26쪽

A 문장을 읽고, 사람이나 사물의 특징을 나타내는 말에 동그라미 하세요.

1. He is (tall). 그는 키가 크다.

2. I have a (new) bag. 나는 새 가방을 가지고 있다.

B 알맞은 말을 골라 우리말 뜻과 일치하도록 문장을 완성하세요.

1. ✓ am full / full am — I am full. 나는 배부르다.

2. small is / ✓ is small — It is small. 그것은 작다.

C 그림을 보고, 주어진 말을 바르게 배열하여 문장을 쓰세요.

1. beautiful / see / I / flowers ➡ I see beautiful flowers. 나는 아름다운 꽃들을 본다.

2. they / cute / puppies / are ➡ They are cute puppies. 그것들은 귀여운 강아지들이다.

D 밑줄 친 부분을 바르게 고쳐 문장을 다시 쓰세요.

1. He kind is. 그는 친절하다. ➡ He is kind.

2. I have balls blue. 나는 파란색 공들을 가지고 있다. ➡ I have blue balls.

3. It is a apple fresh. 그것은 신선한 사과이다. ➡ It is a fresh apple.

164 • 똑똑한 하루 Grammar　　Level 2 A • 165

166~167쪽

5일 Grammar

쏙쏙 정리 ❷

▶정답 26쪽

A 그림과 힌트를 보고, 크로스워드 퍼즐을 완성하세요.

❶ happy / ❷ cute / ❸ tall / ❹ long / ❺ heavy

힌트

가로
❸ He is ________. 그는 키가 크다.
❺ It is ________. 그것은 무겁다.

세로
❶ I am ________. 나는 행복하다.
❷ I have a ________ cat. 나는 귀여운 고양이 한 마리를 가지고 있다.
❹ It is ________. 그것은 길다.

B 주어진 말과 반대되는 뜻을 가진 말을 찾아 쓰고 '출발'에서부터 '도착'까지의 길을 표시하세요.

1. big ↔ small　　2. cold ↔ hot

3. light ↔ heavy　　4. young ↔ old

5. clean ↔ dirty　　6. sad ↔ happy

출발	pretty	new	big	cold
small	yellow	green	angry	kind
red	hot	heavy	old	black
slow	fast	full	dirty	busy
cute	long	rainy	tall	happy
hot	strong	beautiful	sad	도착

166 • 똑똑한 하루 Grammar　　Level 2 A • 167

4주 특강

168~169쪽

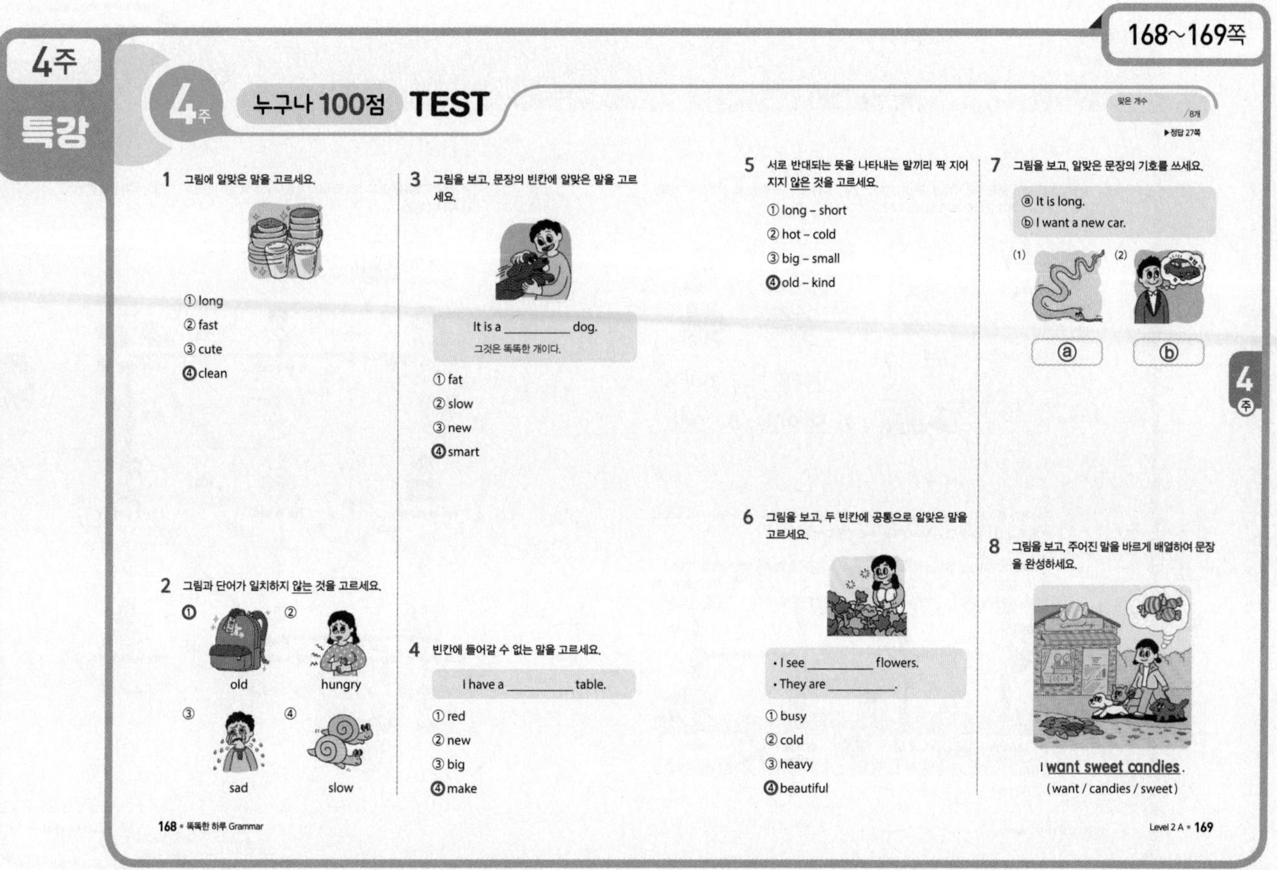

4주 누구나 100점 TEST

맞은 개수 /8개

▶정답 27쪽

1 그림에 알맞은 말을 고르세요.

① long
② fast
③ cute
④ clean

2 그림과 단어가 일치하지 않는 것을 고르세요.

❶ old ② hungry ③ sad ④ slow

3 그림을 보고, 문장의 빈칸에 알맞은 말을 고르세요.

It is a ________ dog.
그것은 똑똑한 개이다.

① fat
② slow
③ new
④ smart

4 빈칸에 들어갈 수 없는 말을 고르세요.

I have a ________ table.

① red
② new
③ big
④ make

5 서로 반대되는 뜻을 나타내는 말끼리 짝 지어지지 않은 것을 고르세요.

① long – short
② hot – cold
③ big – small
④ old – kind

6 그림을 보고, 두 빈칸에 공통으로 알맞은 말을 고르세요.

• I see ________ flowers.
• They are ________.

① busy
② cold
③ heavy
④ beautiful

7 그림을 보고, 알맞은 문장의 기호를 쓰세요.

ⓐ It is long.
ⓑ I want a new car.

(1) ⓐ (2) ⓑ

8 그림을 보고, 주어진 말을 바르게 배열하여 문장을 완성하세요.

I want sweet candies.
(want / candies / sweet)

168 • 똑똑한 하루 Grammar   Level 2 A • 169

170~171쪽

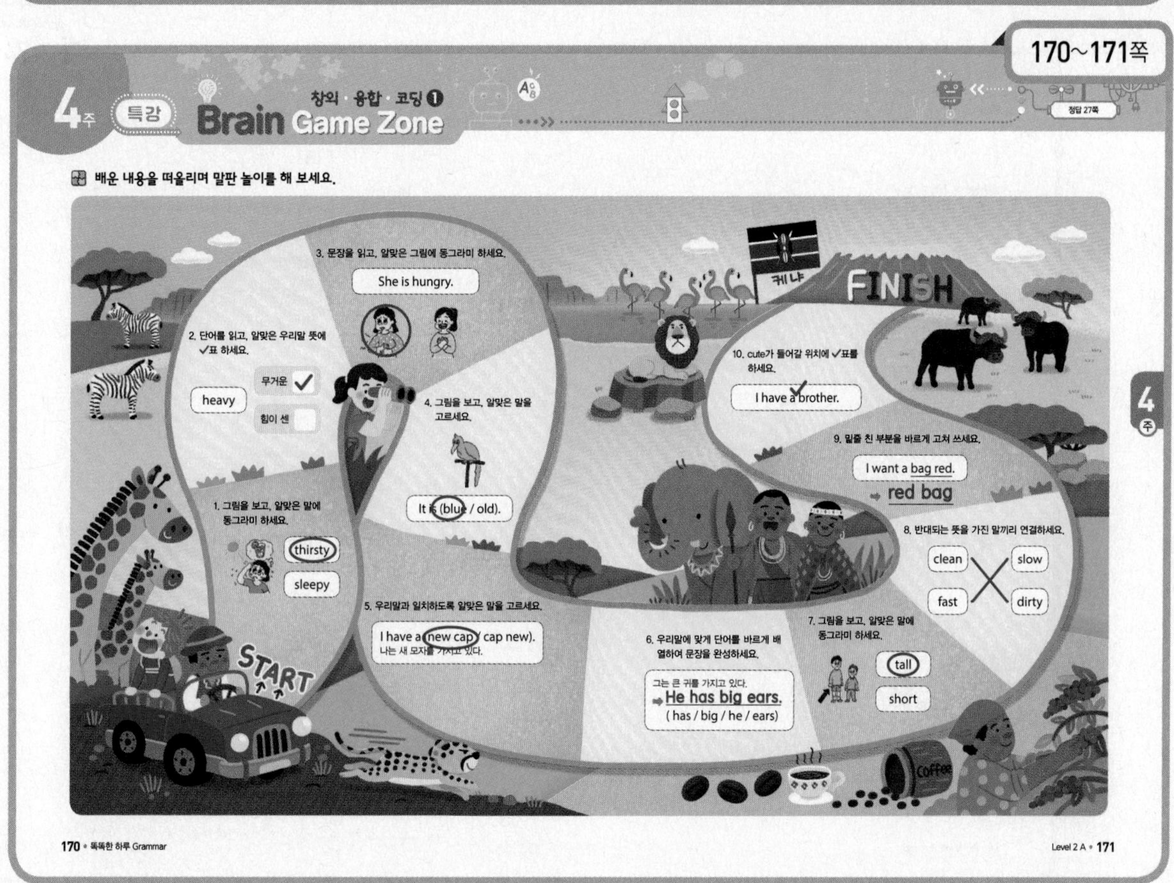

4주 특강 창의 · 융합 · 코딩 ❶ Brain Game Zone

정답 27쪽

배운 내용을 떠올리며 말판 놀이를 해 보세요.

170 • 똑똑한 하루 Grammar   Level 2 A • 171

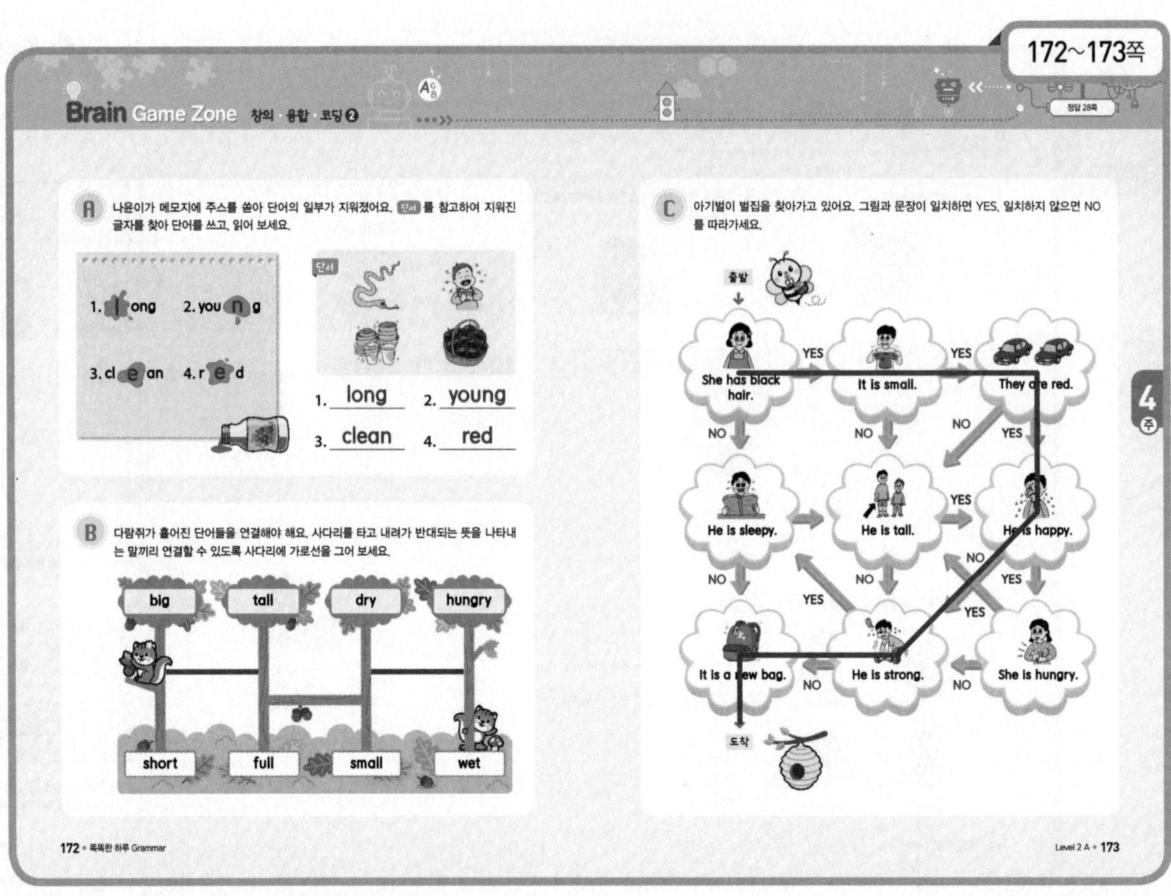
172~173쪽
Brain Game Zone 창의 · 융합 · 코딩 ❷
A 나윤이가 메모지에 주스를 쏟아 단어의 일부가 지워졌어요. 단서 를 참고하여 지워진 글자를 찾아 단어를 쓰고, 읽어 보세요.
1. l ong 2. you n g
3. cl e an 4. r e d
단서
1. long 2. young
3. clean 4. red
B 다람쥐가 흩어진 단어들을 연결해야 해요. 사다리를 타고 내려가 반대되는 뜻을 나타내는 말끼리 연결할 수 있도록 사다리에 가로선을 그어 보세요.
big tall dry hungry
short full small wet
C 아기벌이 벌집을 찾아가고 있어요. 그림과 문장이 일치하면 YES, 일치하지 않으면 NO를 따라가세요.
출발
She has black hair.
It is small.
They are red.
He is sleepy.
He is tall.
He is happy.
It is a new bag.
He is strong.
She is hungry.
도착
172 • 똑똑한 하루 Grammar
Level 2 A • 173

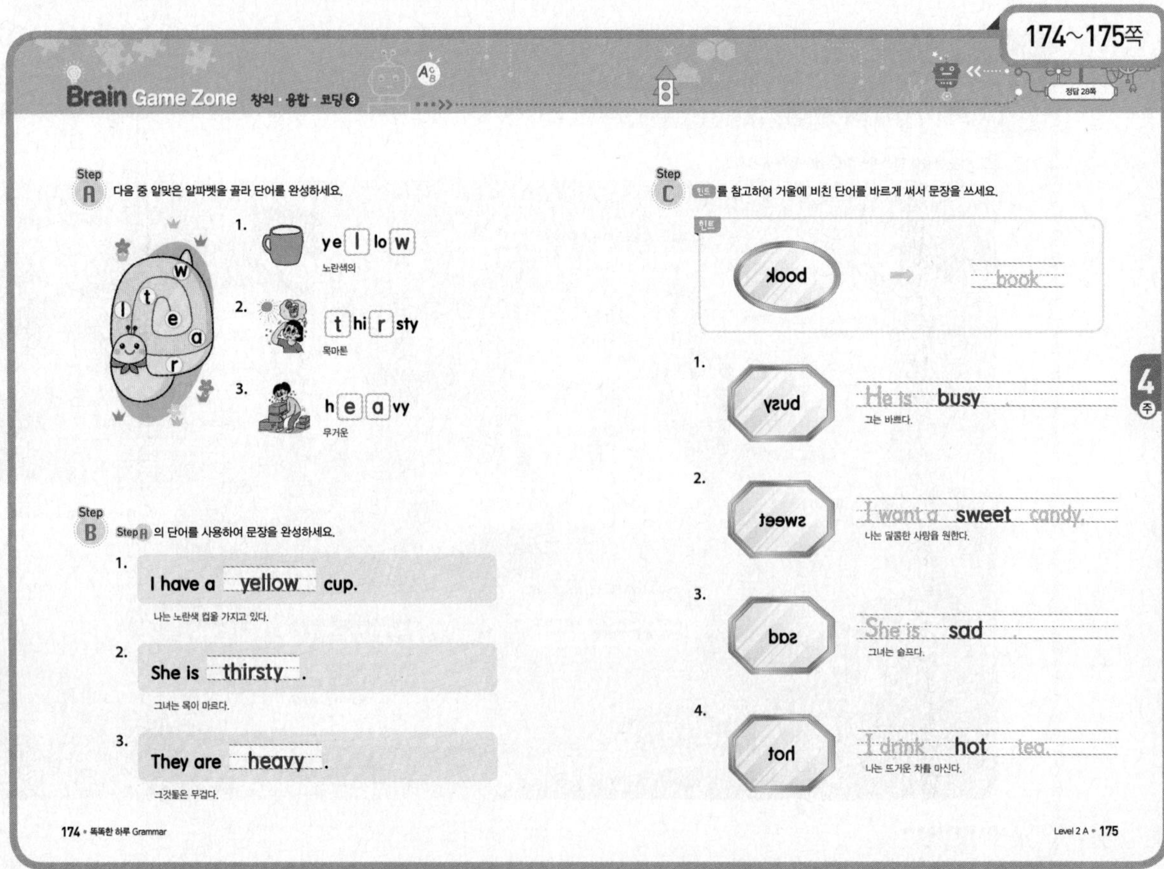
174~175쪽
Brain Game Zone 창의 · 융합 · 코딩 ❸
Step A 다음 중 알맞은 알파벳을 골라 단어를 완성하세요.
1. ye l lo w 노란색의
2. t hi r sty 목마른
3. h e a vy 무거운
Step B Step A 의 단어를 사용하여 문장을 완성하세요.
1. I have a yellow cup.
나는 노란색 컵을 가지고 있다.
2. She is thirsty .
그녀는 목이 마르다.
3. They are heavy .
그것들은 무겁다.
Step C 힌트 를 참고하여 거울에 비친 단어를 바르게 써서 문장을 쓰세요.
힌트 book
1. He is busy .
그는 바쁘다.
2. I want a sweet candy.
나는 달콤한 사탕을 원한다.
3. She is sad .
그녀는 슬프다.
4. I drink hot tea.
나는 뜨거운 차를 마신다.
174 • 똑똑한 하루 Grammar
Level 2 A • 175

정답은
이안에
있어!